D0331659

CAPSULAS INFORMATIVAS CONSTITUCIONALES

CAPSULAS INFORMATIVAS CONSTITUCIONALES

(*Constitutional Sound Bites*)

DAVID J. SHESTOKAS

Traducción y Contribución Lingüística
Dra. Berta Isabel Arias

CONSTITUTIONALLY SPEAKING
Lemont, IL

¿PREGUNTAS? ¿COMENTARIOS?
CONSTITUCION@DELOSESTADOSUNIDOS.COM

ISBN 978-0-9969281-0-6

Sobre Este Libro

Cápsulas Informativas Constitucionales originalmente fue publicado en inglés en tres volúmenes bajo el título de Constitutional Sound Bites. Para esta edición en español, los tres volúmenes se han condensado en un solo libro. Esta nueva colección de los tres volúmenes también contiene nuevo material que no se encuentra en los volúmenes en inglés. Al completar la edición en español, se creó una edición en inglés como complemento. Juntas, las ediciones en español e inglés facilitan la discusión entre amigos, familiares y estudiantes para así compartir y comprender importantes conceptos sobre América, superando los problemas que a veces se presentan con diferentes niveles de habilidad

El enfoque de cada volumen es diferente y dicha diferencia se explica en la introducción a cada uno. A pesar de que la información está organizada por temas, el lector puede elegir cualquier página, leer la pregunta y comentario, e inmediatamente mejor comprender cómo esa provisión o idea en la Declaración de Independencia, la Constitución o la Carta de Derechos cuadra con el objetivo fundamental de la Fundación de América: crear un gobierno limitado que protege la libertad de su pueblo.

El fin general de este libro es aclarar y enfatizar que los Documentos Fundadores y los Principios de América no son ni liberales ni conservadores, ni Republicanos ni Demócratas, sino que son la base de la herencia común que une al pueblo americano en la comunidad que es América.

Este Libro y los Hombres en las Portadas

La versión original en inglés fue publicada en tres volúmenes, cada uno con su propia portada. Cada portada presenta a un Padre Fundador con estrecha relación al contenido del volumen, y estas portadas se encuentran también en esta traducción en español.

Cápsulas Informativas Constitucionales se dedica a explicar ideas y principios que los Fundadores de América desarrollaron y pusieron en práctica. Lo siguiente es una breve reseña biográfica de los hombres en las portadas, y para más información el lector podrá investigar según su propio interés.

George Washington:
Padre de la Nación

Se conoce a George Washington como el Padre de la Nación. El fue Comandante y Jefe del Ejército Continental. El ejército bajo su mando derrotó a Gran Bretaña, el super poder del mundo de esa época, en la Guerra de Independencia. Cuando terminó la guerra en 1783, en vez de permitir ser nombrado rey como era de costumbre hacer con grandes generales, Washington abandonó la vida pública, demostrándole al mundo entero que no habría realeza en la nueva América.

En 1787 se le pidió a Washington servir como presidente de la Convención de Filadelfia que creó la Constitución. Su firma es la primera en la Constitución. Dos años más tarde, fue elegido como el primer Presidente de Estados Unidos bajo la nueva Constitución. En 1797, él estableció el precedente que duraría más de 140 años cuando dejó su cargo después de ocho años.

Washington, por su ejemplo, demostró la idea que en una república no habría realeza y que el gobierno funcionaba mejor para el pueblo cuando ciudadanos servían al pueblo y después regresaban a vida privada.

James Madison:

Padre de la Constitución y de la Carta de Derechos

Se conoce a James Madison como el Padre de la Constitución y de la Carta de Derechos. En mayo de 1787, Madison llegó a la Convención de Filadelfia con el más detallado plan de gobierno de cualquier otro delegado. Se llamaba el Plan de Virginia, y contenía los principios que ahora se encuentran en la Constitución.

Madison se había pasado meses preparándose para la convención, estudiando los gobiernos desde la antigua Roma a la Inglaterra del siglo 18. Madison también mantuvo los mejores historiales de los debates de la Convención Constitucional y fue el autor de 26 de los Documentos Federalistas que explicaban la Constitución en 1787-88.

En 1789, Madison fue el autor de las enmiendas que se convertirían en la Carta de Derechos. De 1809 a 1817 sirvió como el cuarto Presidente de Estados Unidos.

Benjamin Franklin:
Empresario Editorial, Científico, Diplomático

Benjamin Franklin tiene la distinción de ser el único hombre en firmar todos los tres documentos que libraron a las colonias de Inglaterra y establecieron Estados Unidos como una nación independiente: la Declaración de Independencia, el Tratado de París y la Constitución.

Fue empresario editorial y escritor de libros y periódicos en Pennsylvania. Se hizo famoso por sus invenciones, entre las cuales se encuentran el pararrayos, lentes bifocales y la estufa Franklin. Fue el primer Embajador a Francia de Estados Unidos y consiguió el apoyo de Francia a favor de la Revolución Americana, un hecho crítico en la derrota de los ingleses.

La silla de George Washington en la Convención Constitucional tenía un medio sol tallado en el respaldo de la silla. Al terminar la Convención con la redacción de la Constitución, Franklin mencionó la silla, diciendo: "Yo he estado observando el sol detrás del presidente sin poder apreciar si era un sol naciente o poniente. Pero ahora yo . . . sé que era un sol . . . naciente."

Thomas Jefferson:

Autor de la Declaración de Independencia

Thomas Jefferson fue el autor de la Declaración de Independencia y de la Ley de Virginia para Libertad Religiosa, el tercer Presidente de Estados Unidos, y fundador de la Universidad de Virginia. Tenía solamente 33 años cuando la Declaración de Independencia dio voz a las aspiraciones de una nueva América. Jefferson era abogado y usó esa preparación en sus escritos.

Fue el segundo embajador a Francia después de Benjamin Franklin. Por estar desempeñando su cargo en Francia en 1787 no pudo asistir a la Convención de Filadelfia. Durante su tiempo como presidente de 1801 a 1809, fue responsable por la Compra de Louisiana que dobló el tamaño de Estados Unidos y continuó la expansión del país hacia el oeste del Río Mississippi al Mar Pacífico.

Indice

Volumen Tres

Prólogo a Cápsulas Informativas Constitucionales

El 17 de septiembre de 1787 la Convención Constitucional terminó su labor y envió la propuesta Constitución a los estados para su aprobación. En sólo un día, 500 copias de la propuesta Constitución se imprimieron en inglés para distribución a elegidos funcionarios alrededor del país.

Pennsylvania Pide Copias de la Constitución

Los medios de viaje y comunicación eran lentos en el siglo 18, pero Filadelfia era la capital de Pennsylvania, y la legislatura de Pennsylvania fue la primera en recibir la nueva Constitución. En sólo una semana, los legisladores de Pennsylvania pidieron 4,500 copias para sus ciudadanos. Tres mil copias fueron ordenadas en inglés y 1,500 copias en alemán.

En 1681, inmigrantes de la zona de la Rhineland en Alemania fundaron Germantown, Pennsylvania. Dejaron atrás sus hogares principalmente por las continuas guerras entre Alemania y Francia. En 1787, uno de cada tres ciudadanos de Pennsylvania solamente hablaba alemán. Aprobación de la nueva Constitución por ciudadanos de habla alemana en Pennsylvania era tan importante como aprobación por los ciudadanos de habla inglesa.

Los legisladores de Pennsylvania sabían que era crítico que los ciudadanos de habla alemana recibieran información en su idioma nativo acerca del plan para un nuevo gobierno. La Constitución se basaba en el consentimiento por los gobernados, y una persona no podía dar su consentimiento sobre algo que no entendía. La Constitución traducida era un mandato bajo los principios de la Fundación de América.

Pennsylvania no sería el único lugar donde el idioma sería una parte importante de la historia de la Constitución.

Nueva York Considera su Comunidad de Habla Holandesa

En 1624, Nueva Amsterdam se convirtió en la capital de la colonia de Nueva Holanda en Norte América. Aunque Nueva Amsterdam fue capturada por los ingleses en 1664 y renombrada Nueva York en 1665, más de 100 años después, una comunidad grande de ciudadanos de habla holandesa todavía vivía en Nueva York. En Nueva York en 1787 se aseguró amplia distribución de la traducción holandesa de la propuesta Constitución. La aprobación de la Constitución por los ciudadanos de habla holandesa de Nueva York era tan importante como la aprobación por aquéllos de habla inglesa.

Todos Comprendemos Ideas Mejor en Nuestro Idioma Nativo

La Declaración de Independencia, la Constitución y la Carta de Derechos (Bill of Rights) expresan principios que reconocen la igualdad de las personas ante la ley, y el propósito de gobierno como ambos sirviente del pueblo y protector de los derechos del individuo. Participación plena requiere entendimiento de estos principios. Cualquier persona comprende estas ideas mejor si se explican en su idioma nativo.

En 1787 se cuidó de incluir a los alemanes y holandeses. En 2015, debemos cuidarnos de proveer información acerca de América y sus principios fundadores a los americanos hispanohablantes. Mucho ha ocurrido en 228 años, y por lo tanto hay más que debemos compartir con los hispanohablantes de América. Cápsulas Informativas Constitucionales compartirá estos principios y explicará el diseño del gobierno para poner los principios en acción.

Cápsulas Informativas Constitucionales es una labor que se esfuerza en ser precisa en no sólo traducir las palabras sino también las ideas y filosofías para que el significado sea igual tanto para los de habla inglesa, o angloparlantes, como para los hispanohablantes. Mientras colaboraba en este proyecto con la Dra. Berta Arias y consultamos otras traducciones en español de los Documentos Fundadores Americanos, nos dimos cuenta que algunas traducciones eran incorrectas con significados en español que no tenían el mismo significado en inglés. Hemos laborado con gran diligencia para que esta traducción refleje el significado original.

Nuestra meta y deseo son ofrecer a los americanos hispanohablantes el mejor entendimiento de la herencia americana que ahora comparten con los millones quienes han venido a este país en los últimos siglos buscando la libertad y la oportunidad que América ofrece. Conocimiento de esa herencia es parte del poder participar plenamente en la experiencia especial que es América.

—David Shestokas, octubre 2015

DAVID J. SHESTOKAS

CAPSULAS INFORMATIVAS CONSTITUCIONALES

(CONSTITUTIONAL SOUND BITES)

VOLUMEN UNO

TRADUCCION Y CONTRIBUCION LINGUISTICA

DRA. BERTA ISABEL ARIAS

CAPSULAS INFORMATIVAS CONSTITUCIONALES

(*Constitutional Sound Bites*)

VOLUMEN UNO

DAVID J. SHESTOKAS

Traducción y Contribución Lingüística
Dra. Berta Isabel Arias

DEDICADO A TODAS AQUELLAS PERSONAS
QUIENES HAN SACRIFICADO MUCHO PARA
QUE AMERICA SEA LIBRE, Y PARA MI ABUELA,
BARBARA SHESTOKAS, QUIEN VINO DE
LITUANIA EN BUSQUEDA DE LIBERTAD Y
QUIEN COMPARTIO SU AMOR POR AMERICA
CON TODOS EN SU VIDA.

Introducción Volumen Uno

En el siglo 21, nos hemos acostumbrado a conseguir información en formatos que plantean ideas en pocas palabras tal como cápsulas informativas (sound bites), breves (posts), blogs y tuiteos (tweets) de 140 caracteres. Comenzando con Franklin Roosevelt ("Una fecha que vivirá en la infamia") hasta Barack Obama ("Yo no quiero poner a la América Roja contra la América Azul") líderes modernos, comprendiendo la necesidad de comunicación instantánea con el pueblo, han hecho de estos formatos un arte. Ellos comprenden la forma de comunicar de nuestro tiempo.

Los líderes de la América Revolucionaria también comprendían la importancia y manera de comunicar con el pueblo de sus días. Después de que la Constitución fue finalizada el 17 de septiembre de 1787 comenzó la batalla para su ratificación. Mucho se discutió en los periódicos del siglo 18 que era la forma principal de comunicación en esos tiempos. Largos ensayos se vieron por todo el país.

Los más famosos de estos ensayos fueron parte de una serie que se llegó a conocer como los Documentos Federalistas. Estos 85 artículos por John Jay, Alexander Hamilton y James Madison en forma de libro culminarían en 400 páginas. Aunque los Documentos Federalistas (y los ensayos en periódicos escritos por adversarios de la Constitución) continúan siendo interesantes, ensayos no representan la forma en la cual los americanos hoy día en el siglo 21 consiguen información.

Si Jay, Hamilton y Madison hubieran estado tratando de presentar sus ideas a los americanos modernos, habrían tenido que cambiar sus estrategias y acortar sus mensajes para acomodar los modernos medios de comunicación, quizás a ideas expresadas en un minuto.

Este libro contiene cápsulas informativas (sound bites) acerca de la Fundación de América y de La Constitución de los Estados Unidos.

La Constitución puede ser un tema imponente y complejo pero, como la mayoría de asuntos complejos, se convierte fácil cuando presentada en pequeños trozos. En mi papel como anfitrión del programa de radio semanal Hablando Constitucionalmente (Constitutionally Speaking) en America's Talk Radio Network (ATRN), yo trato de explicar la Constitución y su relevancia a nuestras vidas en "pequeños trozos." Además del programa semanal, también ofrezco una presentación diaria en la radio titulada "Un Minuto Hablando Constitucionalmente."

Los "minutos" varían entre historias de personas involucradas en la fundación de América, la filosofía que informa los documentos de fundación y las instituciones creadas por la Constitución. Este libro es el primero en una serie de cápsulas informativas (sound bites) acerca de un documento que ni es republicano ni demócrato ni liberal ni conservador, sino americano.

La Fundación de una Nación Basada en Ideas

En 1787 el experimento americano de autogobierno estaba en peligro. La nación había sido fundada solamente 11 años antes, basada en ideas que nunca antes habían servido como principios para guiar una nación. En 1776 la Declaración de Independencia sumó estas ideas. Los principios se basaban en la creencia en los derechos inalienables del individuo, la igualdad de todos los hombres ante la ley y que el único gobierno legítimo tiene el consentimiento de las personas gobernadas. En 1787, el primer esfuerzo de poner esos principios en práctica, los Artículos de Confederación, no estaba funcionando bien.

Las carencias de los Artículos de Confederación llevaron a los líderes de su día a revisar la organización de los Estados Unidos. El resultado fue la Constitución. El Preámbulo establece el propósito de la Constitución: "asegurar para nosotros mismos y para nuestros descendientes los beneficios de la Libertad."

Nuestros antecesores escribieron la Constitución con el deseo ardiente de asegurar nuestra libertad. Hoy ese propósito es examinado, desafiado y atacado a diario. La responsabilidad de proteger nuestra libertad tan duramente ganada ahora cae en nosotros. Entendimiento y aprecio de la relevancia de la Constitución en nuestras vidas es un paso gigante en proteger nuestra libertad y la de nuestros hijos.

Alguien le preguntó una vez a Thomas Jefferson acerca del propósito preciso de la Declaración de Independencia. Su respuesta breve fue que él estaba intentando explicar "el sentido común del tema." Eso es lo que Cápsulas Informativas Constitucionales (Constitutional Sound Bites) intentará hacer.

Consideraciones Constitucionales

¿Cuáles eventos durante la Navidad de 1776 salvaron la independencia de los Estados Unidos y prepararon el camino para la Constitución?

En el otoño de 1776, las fuerzas inglesas expulsaron al General George Washington y al Ejército Continental de Nueva York. Solamente 3,000 de los 20,000 soldados en las tropas originales americanas escaparon, retrocediendo hacia Nueva Jersey y finalmente a Pennsylvania. A final de diciembre, los soldados tenían frío, se morían de hambre, y muchos estaban enfermos con cólera, viruela o disentería.

Con el retroceso del ejército de Washington, el Congreso huyó de Filadelfia a Baltimore, Maryland. La causa americana parecía perdida.

El día de Navidad, la nieve caía fuertemente en medio de una peligrosa tormenta invernal. Bajo la oscuridad de noche, los soldados fueron ordenados a abordar botes que habían sido comandados en el Río Delaware río arriba y río abajo. Estaban listos para cruzar el río, peligroso por altos vientos y grandes témpanos de hielo. Iban camino al este hacia Nueva Jersey. A la vez que los soldados se preparaban, el General Washington ordenó que las palabras inspiradoras de Thomas Paine de *La crisis americana* fueran leídas a sus tropas. El ensayo de Paine comenzó así: "Estos son los tiempos que ponen a prueba las almas de los hombres."

Después del cruce peligroso del río y una marcha de diez horas a través de una noche frígida, el Ejército Continental atacó al enemigo en Trenton, Nueva Jersey. Los americanos fueron victoriosos. Sin este agresivo ataque invernal que terminó con una victoria desesperadamente necesaria, Estados Unidos no existiría hoy.

¿Cuánto tiempo después de la Declaración de Independencia se efectuó la Constitución?

El gobierno establecido por la Constitución entró en vigor el 4 de marzo, 1789, casi trece años después de la Declaración de Independencia.

Estados Unidos declaró independencia el 4 de julio, 1776. Comenzando en 1777 la nación fue organizada bajo los Artículos de Confederación. El gobierno central bajo los Artículos era débil, con poca autoridad para recaudar ingresos. Enmiendas a los Artículos requerían el consentimiento unánime de los trece estados y ésa unanimidad era difícil de conseguir. Esta combinación ató las manos de la nueva nación con pocos recursos y un gobierno a menudo inefectivo.

En mayo de 1787, el Congreso de Confederación autorizó una convención para proponer enmiendas a los Artículos de Confederación. El 17 de septiembre, 1787, en vez de enmiendas, los delegados presentaron una totalmente nueva Constitución. El 17 de septiembre ahora se observa en Estados Unidos como el Día de la Constitución. La Constitución propuesta fue presentada al Congreso de Confederación y enviada a los estados para ratificación más tarde ese año.

¿Por qué tiene Estados Unidos tres ramas de gobierno?

A través de la historia, cuando una sola persona escribía la ley, aplicaba la ley, y juzgaba la ley, no había ley—sólo la opinión de esa persona. Los Artífices creían que la mejor manera de proteger la libertad de todos sería separar las funciones: escribir una ley (legislativa), aplicar una ley (ejecutiva) e interpretar una ley (judicial). Es por esto que hay tres ramas de gobierno.

La Constitución americana representa la primera vez en la historia del mundo que se separaron las funciones de gobierno entre ramas: legislativa, ejecutiva y judicial. Los Artífices veían esta división de poder como fundamental para proteger la libertad a la vez que creaban la nación.

Los pensamientos que informan la estructura del gobierno americano se pueden trazar 1800 años atrás a la antigua Roma, pero fue en el siglo dieciocho que el filósofo francés Montesquieu claramente describió tres funciones de gobierno y afirmó que separar esas funciones sería la mejor manera de proteger la libertad. Los Artífices de la Constitución llegaron a la misma conclusión que Montesquieu.

¿Cuánto tiempo tomó desarrollar las ideas que se encuentran en la Constitución?

Las ideas que se encuentran en la Constitución de Estados Unidos se desarrollaron a través de un período de dos mil años y resultó en la creación de una república representativa.

Muchas de estas ideas se pueden trazar al historiador Polybius quien vivió entre 200 a 118 aC. Polybius reconoció las tres formas principales de gobierno que existían en su tiempo: monarquía (gobernanza por uno), aristocracia (gobernanza por pocos) y democracia (gobernanza por la mayoría). El notó que todos estos gobiernos tenían problemas.

Los monarcas se convertían en tiranos. Los aristócratas hacían poco más que asegurar sus privilegios. Monarcas y aristócratas se podrían convertir en los ricos ociosos. En una democracia, la gobernanza por la mayoría se podría convertir en gobernanza del populacho, pisoteando los derechos de las minorías, resultando en "tiranía por la mayoría."

Los Artífices de la Constitución leyeron los escritos de Polybius. Tratando de evitar los problemas que él describió, crearon la República americana casi dos mil años después.

¿Quién es la persona más responsable por "la separación de poderes" en la Constitución americana?

El filósofo francés Montesquieu desarrolló las ideas acerca de la separación de poderes, y James Madison laboró en incluirlas en la Constitución.

Montesquieu elaboró sobre las ideas del historiador Polybius cuando escribió su tesis de 1748, El espíritu de las leyes. Montesquieu identificó las funciones de gobierno como legislativa, ejecutiva y judicial. Los Artífices de la Constitución, en escribir la Constitución, dependieron mucho de Montesquieu.

En Federalista No. 47, James Madison cita a Montesquieu como el autor original de la separación de poderes.

"El oráculo quien siempre es consultado y citado sobre este tema es el celebrado Montesquieu. Si él no es el autor de este invaluable precepto en ciencias políticas, él merece crédito de por lo menos traerlo a la atención de la humanidad y de recomendarlo con mayor eficacia."

¿Por qué sirven diferentes términos los miembros del Congreso, el Presidente y la Corte Suprema?

Los Fundadores pensaron que funcionarios con diferentes intereses tendrían menos posibilidad de juntarse y poner en peligro la libertad del pueblo.

James Madison, el Padre de la Constitución americana, vino a la convención de 1787 esperando crear un gobierno con el poder de gobernar pero con límites sobre ese poder que protegerían la libertad del pueblo. Separando las funciones de gobierno sería uno de los límites. Otro límite sería que los funcionarios serían elegidos en diferentes maneras por diferentes términos de servicio.

Madison explicó el diseño de la Constitución para proteger la libertad y los integrados pesos y contrapesos en la propuesta Constitución en Federalista No. 51:

"Para cementar una fundación adecuada para ese ejercicio separado y distinto de los diferentes poderes de gobierno, lo cual . . . es . . . esencial a la preservación de la libertad . . . cada departamento debe tener una sede propia."

¿Es la idea de "separación de poderes" lo mismo que la idea de "pesos y contrapesos"?

No. La separación de poderes divide al gobierno basado en las funciones principales - legislativa, ejecutiva y judicial - pero estos poderes no están estrictamente separados. En algunos ámbitos, poderes en superposición "frenan" cualquier rama de gobierno de tener poder sin restricción en un campo específico y dan "equilibrio" al gobierno. El presidente es parte del proceso legislativo antes de que un proyecto se convierta en ley. El presidente puede frenar el poder del Congreso con un veto, y el proyecto entonces se convierte en ley solamente si dos-tercios del Senado y la Cámara votan para anular el veto del presidente. El Congreso puede frenar el poder del presidente a través de su control del dinero disponible al presidente. El Congreso puede frenar las cortes al definir su organización y los tipos de casos sobre los cuales las cortes puedan dictar decisiones. El presidente y el Senado juntos deciden quiénes servirán como jueces. Las cortes pueden dictar órdenes al presidente y pueden declarar que leyes pasadas por el Congreso son inconstitucionales. Estos "pesos y contrapesos" fueron diseñados como otro nivel de protección de la libertad del pueblo.

¿Fue suficiente protección para la libertad americana separar el poder dentro del gobierno federal?

Para proteger la libertad, los Artífices de la Constitución establecieron instituciones para separar poderes dentro del gobierno central. Para la generación revolucionaria esto no fue suficiente.

Además de separar los poderes dentro del gobierno federal, también se agregaron límites en el poder externo. Los estados dictaron este límite al retener todo poder de gobierno no otorgado al gobierno federal por la Constitución. La división de poder entre diferentes gobiernos dentro del mismo territorio fue la creación sin igual: el Federalismo Americano.

La Enmienda Décima explica esto mejor: Los poderes no delegados a los Estados Unidos por la Constitución, ni prohibidos por ella a los Estados, están reservados respectivamente a los Estados, o al pueblo.

Separando el poder dentro del gobierno federal y dividiendo el poder entre el gobierno federal y los estados provee dos niveles de protección para la libertad americana.

¿Qué es una constitución y cuál fue la primera constitución escrita en el mundo?

Una constitución es un conjunto de principios fundamentales o precedentes establecidos por las cuales se gobierna un estado u otra organización.

La Constitución americana fue establecida a través de un proceso de ratificación que incluyó al pueblo. Conseguir el consentimiento del pueblo que sería gobernado era consistente con la Declaración de Independencia y era excepcional a Estados Unidos.

La idea de una constitución escrita para un gobierno comenzó en América con las Ordenes Fundamentales de Connecticut, las cuales establecieron la organización de esta colonia alrededor de 1638. Es por eso que el apodo de Connecticut es el Estado de la Constitución.

En los próximos 140 años, todas las colonias llegaron a depender de documentos escritos para organizar sus gobiernos. Estas experiencias coloniales resultaron en el Milagro de Filadelfia de 1787: la Constitución de Estados Unidos.

¿Quién escribió la última versión de la Constitución?

James Madison le dio crédito a Gouverneur Morris por la Constitución definitiva: "La última versión de la Constitución en cuanto a estilo y diseño pertenece justamente a la pluma del Señor Morris."

George Washington convino la Convención Constitucional el 25 de mayo, 1787.

Ya para el 8 de septiembre, el trabajo de la Convención había resultado en un documento de 23 artículos no-organizados con muchas enmiendas atentando equilibrar las necesidades de los estados y la filosofía de la Declaración de Independencia.

El 8 de septiembre, se formó un comité para organizar el trabajo de la Convención. Los miembros eran:

- Alexander Hamilton;
- William Johnson;
- Rufus King;
- James Madison;
- Gouverneur Morris.

El comité convirtió los 23 artículos en los siete artículos de la Constitución consistiendo en:

- Artículo I, La Rama Legislativa;
- Artículo II, La Rama Ejecutiva;
- Artículo III, La Rama Judicial;
- Artículo IV, Los Estados;
- Artículo V, El Proceso de Enmiendas;
- Artículo VI, El Estatus Legal de la Constitución;
- Artículo VII, Ratificación.

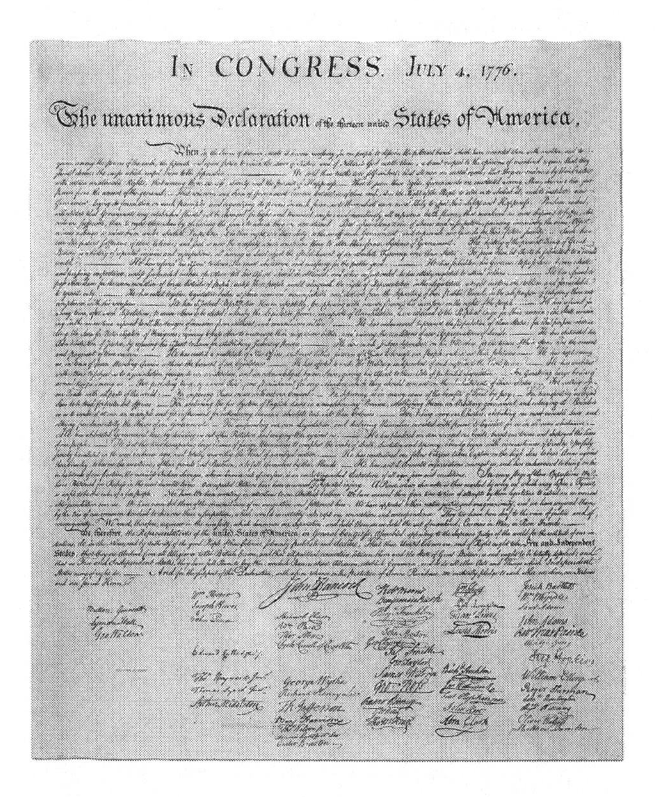
IN CONGRESS. JULY 4, 1776.

The unanimous Declaration of the thirteen united States of America,

Reflexiones sobre la Declaración de Independencia

¿Por qué estudiar la Declaración de Independencia para comprender la Constitución?

El estudio de la Declaración de Independencia es clave para comprender la Constitución. La Declaración declaró al Rey George de Inglaterra y al mundo entero la razón por la cual las colonias se separaban de Inglaterra. Importantemente también explicó al pueblo americano la filosofía de la nueva nación. Sin una explicación al pueblo, el nuevo gobierno no tendría apoyo.

Por la primera vez en la historia del mundo, un país se guiaría por una filosofía no basada en fuerza sino en una visión común del propósito de gobierno. La declaración definió que el propósito de gobierno es de asegurar nuestros derechos inalienables. El propósito de la Constitución es asegurar los beneficios de libertad. Comprender la Declaración de Independencia significa comprender la Constitución.

¿De qué forma están conectadas la Declaración de Independencia y la Constitución?

Las verdades "auto-evidentes" en la Declaración de Independencia nacen de la "Ley de la Naturaleza" y la "Ley Divina." La Ley de la Naturaleza aludida es reconocida por la Constitución. Este reconocimiento era crítico para el equilibrio necesario de lograr una sociedad organizada y para el deseo natural de cada individuo de tener libertad.

La nación de Estados Unidos fue fundada en una filosofía. Esa filosofía contenía las verdades que los seres humanos son iguales en su posesión de derechos naturales, tales como los derechos a vida, libertad y propiedad. La Constitución es un conjunto de reglas para aclarar la filosofía central de la Constitución.

¿Qué son la "Ley de la Naturaleza" y la "Ley Divina"?

Existen en el mundo cosas sobre las cuales no hay gobierno con el poder de cambiarlas. Ningún gobierno puede cambiar la Ley de Gravedad. Ningún gobierno puede extinguir el deseo de seres humanos de ser libres. Estas son leyes naturales.

La Ley de la Naturaleza es observable en un sentido científico. La Ley Divina se revela a los hombres en un sentido espiritual. Sea científica o espiritual, la ley natural llega a la misma conclusión que todos los hombres tienen derechos inalienables. La Declaración de Independencia depende de esta verdad "auto-evidente" para el establecimiento de Estados Unidos.

¿La Constitución otorga derechos inalienables a los americanos?

La Constitución no otorga derechos inalienables. Esos derechos existen independientemente de la Constitución. Un derecho "inalienable" le pertenece a cada persona simplemente con el nacer. Estos derechos no son otorgados por el gobierno y no pueden otorgarse.

La Constitución reconoce que los derechos inalienables existen y menciona algunos, por ejemplo: religión, expresión e imprenta. La Enmienda Novena declara que es imposible hacer una lista de todo derecho: "La enumeración en la Constitución, de ciertos derechos, no debe considerarse negar o menospreciar otros retenidos por el pueblo."

La Declaración de Independencia reconoce "los derechos inalienables" de cada persona de "Vida, Libertad y la Búsqueda de la Felicidad" y que el propósito de gobierno es de asegurar esos derechos. La Constitución fue "ordenada y establecida" para crear un gobierno en armonía con ese propósito.

¿Hasta qué punto era serio el peligro contra los hombres que firmaron la Declaración de Independencia?

Considere la frase final de la Declaración: con una firme Confianza en la Protección de la divina Providencia, comprometemos unos a otros nuestras Vidas, nuestras Fortunas y nuestro sagrado Honor.Los hombres que firmaron la Declaración estaban cometiendo un acto de alta traición contra el Rey de Inglaterra. El castigo bajo ley inglesa por este acto era lo siguiente:

> 1. Que el culpable será arrastrado a la horca, y no cargado o caminado; aunque se permite usualmente una tabla o plancha, para evitarle al culpable el dolor extremo de ser arrastrado sobre la tierra o pavimento. 2. Que será colgado del cuello, y entonces descolgado todavía vivo. 3. Que se le extraerán las vísceras, las cuales serán quemadas mientras el culpable esté todavía vivo. 4. Que se le cortará la cabeza. 5. Que su cuerpo será dividido en cuatro partes. 6. Que su cabeza y cuartos estarán a la disposición del rey.

La acción de declarar independencia no fue tomada sin considerar las serias consecuencias, y era claro el compromiso de los firmantes a los principios de la Declaración de la igualdad y los derechos inalienables de los hombres.

¿Qué impacto tuvo la Declaración de Independencia en el mundo?

La Declaración Americana de 1776 fue la primera en la historia mundial en identificar soberanía con independencia.

—David Armitage

Antes de la Declaración de Independencia, cuando un pueblo estaba insatisfecho con su 'soberano' o líder real, hacía un acuerdo con ese líder o encontraba uno nuevo. Típicamente, un gobierno era un imperio controlado por una familia real. La Declaración de Independencia americana cambió esto, no sólo para América, sino también para el mundo.

En 1776 la Declaración de Independencia fue la primera en declarar un pueblo libre y autónomo. Más declaraciones pronto siguieron. En 1790, el pueblo de Flandes declaró que era independiente del Emperador austriaco. La revolución de esclavos en Haití incluyó una Declaración de Independencia de Francia el primero de enero de 1804. Hoy día hay 195 países en el mundo. Más de 100 se crearon con un documento que puede trazarse a la Declaración de Independencia americana.

No existía precedente para crear un país basado en la Ley de la Naturaleza y la Ley Divina. La revolución exitosa de Estados Unidos, introducida con su Declaración de Independencia, se convirtió en el precedente para el mundo.

El Preámbulo de la Constitución

NOSOTROS, el Pueblo de los Estados Unidos, a fin de formar una Unión más perfecta, establecer Justicia, afirmar la tranquilidad interior, proveer la Defensa común, promover el bienestar general y asegurar para nosotros mismos y para nuestros descendientes los beneficios de la Libertad, estatuimos y sancionamos esta CONSTITUCION para los Estados Unidos de América.

¿Quién es responsable por la frase "Nosotros, el Pueblo de los Estados Unidos"?

El Preámbulo de la Constitución comienza con la más famosa frase en la historia de Estados Unidos: "Nosotros, el pueblo de los Estados Unidos." El autor de la frase, Gouverneur Morris, no era uno de los más famosos delegados a la Convención.

El 8 de septiembre, 1787 ya había acuerdo sobre los elementos de la Constitución y un Comité sobre Estilo fue formado para integrar esos elementos en un documento. El primer borrador comenzó: "Nosotros el pueblo de los Estados de New Hampshire, Massachusetts."

Gouverneur Morris fue asignado redactar y organizar la Constitución. El cambió la primera frase a: "Nosotros el Pueblo de los Estados Unidos."

El cambio fue importantísimo. Morris transformó los redactores de la Constitución de ser los gobiernos estatales a ser el PUEBLO de Estados Unidos. Esto formó una sola nación, Estados Unidos de América, en vez de una alianza de gobiernos estatales.

A propósito, 'Gouverneur' era su nombre, no su título.

¿Quién creó Estados Unidos?

El Preámbulo de la Constitución ha dado a los americanos y a pueblos alrededor del mundo la esperanza de una sociedad libre y justa.

El Preámbulo menciona objetivos y también señala las obligaciones del gobierno de Estados Unidos al pueblo americano. El Preámbulo declara al Pueblo como los creadores de Estados Unidos. Estados Unidos como esa creación le debe lealtad al Pueblo y tiene la obligación de seguir sus directivas.

En el Preámbulo ¿qué significa una "más perfecta unión"?

Bajo los Artículos de Confederación, los estados se habían unido en "una sólida liga de amistad, para su defensa común, la seguridad de sus libertades, y su mutuo y general bienestar." El acuerdo era entre los estados, no el pueblo y la unión era débil e incompleta. La frase del Preámbulo se refiere al propósito de la Constitución de mejorar lo que ya existía en los Artículos.

Lectores modernos posiblemente piensan que es imposible que algo sea "más perfecto." En el siglo 18, el tiempo de los Artífices, "perfecto" no se consideraba un concepto absoluto. En el siglo 18, "perfecto" todavía mantenía su origen latino, perficere, "terminar o completar." Por lo tanto, "una más perfecta unión" simplemente significaba una unión más completa de la que había existido antes de la Constitución.

En el Preámbulo, ¿qué significa "establecer justicia"?

En el segundo declarado objetivo, "establecer justicia," la palabra clave es "establecer." La sugerencia de esta frase es que no existía justicia bajo los Artículos de Confederación. Los Artífices se habían reunido de todas partes del país y estaban muy conscientes del problema. Aunque los individuos estados americanos y gobiernos locales tenían sistemas judiciales con jueces independientes y juicios por jurado, aquellos ciudadanos que viajaban de un estado a otro no siempre eran tratados con igualdad en cortes locales.

Gouverneur Morris había escogido la palabra "justicia" con gran esmero. La falta de "justicia" con igualdad a través del país era algo obvio a los Artífices, y era un peligro a las libertades individuales a muchos niveles. Para rectificar esta situación, la Constitución creó una independiente Corte Suprema con autoridad sobre todos los estados, requiriendo que los estados respetaran los privilegios e inmunidades de los ciudadanos de Estados Unidos. Esta sería la forma de "establecer justicia" para todos los ciudadanos en ejercer sus derechos inalienables.

En el Preámbulo, ¿qué significa "tranquilidad doméstica"?
La Constitución fue redactada solamente once años después de Independencia y cuatro años después de paz con Inglaterra. Abusos de libertad de parte de los ingleses estaban frescos en las mentes de todas las personas americanas. Los americanos no se habían liberado de las cadenas inglesas para ser gobernados por tiranos locales. En 1786, Daniel Shays, un veterano de la Guerra Revolucionaria, había encabezado una rebelión armada contra la política fiscal y los procesos judiciales de Massachusetts. El Congreso de Confederación no tenía recursos para restaurar "la tranquilidad doméstica," aunque por último una milicia privada de Massachusetts la logró. Este disturbio en Massachusetts fue el ímpetu principal para la Convención Constitucional.

La rebelión armada de los veteranos de la guerra contra el gobierno estatal sorprendió a muchos. El mantenimiento de paz y tranquilidad nacional era una consideración importante. Los Artífices esperaban que un gobierno federal con nuevos poderes y un sistema judicial equitativo y protector de la libertad individual "aseguraría la tranquilidad doméstica."

En un país nacido de rebelión contra un gobierno opresivo, tal espíritu continúa vivo, y la Constitución fue redactada para equilibrar ese espíritu con los beneficios de una sociedad civil.

¿Qué tipos de amenazas a la nueva nación existían y requerían "defensa común"?

Durante el tiempo que se redactaba la Constitución, la nueva nación existía con amenazas de ataques por todos lados. España reclamaba la mayor parte de Norte América oeste del Río Mississippi, la Costa del Golfo y la Florida. Gran Bretaña controlaba Canadá y, a pesar de promesas en el Tratado de Paz de París, mantenía fuertes entre las montañas Apalaches y el Río Mississippi. Amenazas de hostiles Nativo Americanos existían en la frontera. Ningún estado individuo tenía la capacidad de defenderse. Los estados necesitaban ayuda mutua para sobrevivir.

A pesar de las amenazas, los americanos temían un "ejército permanente," creyendo que fuerzas armadas con suficiente poder para defender la nación también podrían esclavizarla. Muchos americanos pensaban que un ejército permanente americano era peligroso e innecesario porque habían ganado independencia de Gran Bretaña, el super poder del siglo 18 y porque estaban bajo el liderazgo del Congreso Continental. Sin embargo, los Artífices anticipaban otras guerras y la necesidad de estar preparados para ellas. Esta anticipación neutralizó el temor de ejércitos permanentes, pero fue equilibrada por un compromiso constitucional de control civil sobre cualquiera acción militar necesaria para la "defensa común."

¿Cómo entendían los Artífices "el bienestar general"?

"Promover el bienestar general" era algo bien comprendido en el tiempo de la Constitución. "General" se refería a la totalidad de la nación en vez de a intereses individuales, locales o especiales. "Bienestar" incluía el concepto de "felicidad" además de "bienestar" ya que un objetivo constitucional es promover la felicidad de la nación entera.

La Cláusula de Impuestos y Gastos de la Constitución también contiene la frase "el bienestar general":

> El Congreso tendrá facultad: Para establecer y recaudar contribuciones, impuestos, derechos y consumos; para pagar las deudas y

proveer a la defensa común y el bienestar general de los Estados Unidos.

—Articulo 1, Octava Sección, Primera Cláusula.

Mientras que el Preámbulo no da ningún poder al gobierno federal, ayuda a comprender el resto de la Constitución. La Cláusula de Impuestos y Gastos otorga poder con similar lenguaje.

En ambos casos, "general" se refiere al bienestar de Estados Unidos en su totalidad, no al bienestar de intereses personales, locales o especiales. Con este apoyo de "bienestar" general, así puede el gobierno crear un ambiente que permite a cada individuo ejercer sus derechos inalienables a vida, libertad y búsqueda de felicidad sin interferencia.

¿Cuál es el propósito fundamental de la Constitución tal como es declarado en el Preámbulo?

Los objetivos constitucionales de formar una unión más completa, establecer un sistema judicial uniforme por todo el país, proveer seguridad interna y externa para el pueblo y promover la felicidad general de la nación eran todos elementos para alcanzar un único propósito. Ese propósito es de "asegurar los beneficios de libertad" no sólo para los Fundadores de la nación, sino también para futuras generaciones.

El Preámbulo introduce un documento cuyo propósito declarado es asegurar los derechos de vida y libertad y promover felicidad nacional. El Preámbulo en su totalidad, entonces, declara que la Constitución está diseñada para asegurar precisamente los derechos proclamados en la Declaración de Independencia. El Preámbulo declara que la Constitución cumple con lo prometido en la Declaración de Independencia.

El Preámbulo de la Constitución ha representado la visión de Estados Unidos desde que la Constitución se escribió y se envió a los estados para ratificación en septiembre de 1787. Prácticamente todos los estudiantes americanos han pasado tiempo memorizando el párrafo. Las tres palabras iniciales, "Nosotros, el Pueblo," han inspirado y aumentado el deseo de inclusión en la política americana por más de dos siglos.

Artículo I: El Congreso

¿Por qué están los poderes del Congreso enumerados en el Artículo I de la Constitución?

Artículo I Octava Sección contiene una lista de poderes específicos del Congreso. El intento era limitar al Congreso a esta lista de poderes "enumerados."

Treinta y cinco delegados a la convención constitucional eran abogados. Cuando un documento legal enumera poderes, los poderes están limitados a la lista. La Constitución es un documento legal. La enumeración de poderes del Congreso quiso limitar el poder de gobierno para "asegurar los beneficios de libertad."

Cuando el Congreso actúa fuera de los otorgados poderes enumerados, ese acto es ilícito o ilegal. Esta es la esencia de "gobierno limitado."

El Artículo I es el artículo con más detalle en la Constitución. Los Fundadores reconocían que la legislatura era la fuente verdadera de la autoridad de gobierno y con la mayor necesidad de limitaciones. El Congreso es definido en el Artículo I porque como James Madison dijo, el Congreso era "la primera rama de gobierno."

¿Cuáles son los poderes enumerados del Congreso en la Constitución?

La lista de poderes del Congreso se encuentra en el Artículo I, Octava Sección. Estos poderes enumerados son:

- Establecer y recaudar impuestos, derechos, contribuciones y consumos;
- Pagar las deudas y proveer a la defensa común y el bienestar de Estados Unidos;

- Contraer empréstitos a cargo de créditos de Estados Unidos;
- Reglamentar el comercio con las naciones extranjeras, entre los diferentes estados y con las tribus indias;
- Establecer un régimen uniforme de naturalización y leyes uniformes en materia de quiebra en todos Estados Unidos;
- Acuñar monedas y determinar su valor, así como el de la moneda extranjera, y fijar los patrones de las pesas y medidas;
- Proveer lo necesario al castigo de quienes falsifiquen los títulos y la moneda corriente de Estados Unidos;
- Establecer oficinas de correos y caminos de posta;
- Fomentar el progreso de la ciencia y las artes útiles, asegurando a los autores e inventores, por un tiempo limitado, el derecho exclusivo sobre sus respectivos escritos y descubrimientos;
- Crear cortes inferiores a la Corte Suprema;
- Definir y castigar la piratería y otros delitos graves cometidos en alta mar y violaciones al derecho internacional;
- Declarar la guerra, otorgar patentes de corso y represalias y dictar reglas con relación a las presas de mar y tierra;
- Reclutar y sostener ejércitos, pero ninguna autorización presupuestaria de fondos que tenga ese destino será por un plazo superior a dos años;
- Habilitar y mantener una armada;
- Dictar reglas para el gobierno y ordenanza de las fuerzas navales y terrestres;
- Disponer cuándo debe convocarse la milicia nacional con el fin de hacer cumplir las leyes de la Unión, sofocar las insurrecciones y rechazar las invasiones;
- Proveer lo necesario para organizar, armar y disciplinar la milicia;
- Legislar en forma exclusiva en todo lo referente a la sede de gobierno;
- Expedir todas las leyes que sean necesarias y convenientes para llevar a cabo los poderes anteriores

¿Qué significa decir que un acto de Congreso es "inconstitucional"?

Cuando el Congreso pasa una ley fuera del poder otorgado en la Constitución está actuando ilegalmente y la ley es inconstitucional. El Artículo I Octava Sección de la Constitución enumera los asuntos que el Congreso puede regular con pasar leyes. Los campos incluyen: comercio interestatal, oficinas de correo, naturalización y más.

La última cláusula de la Octava Sección se conoce como la Cláusula Necesaria y Apropiada. Dice:

"Hacer todas Leyes que sean necesarias y apropiadas para lograr la Ejecución de los Poderes antedichos."

La cláusula final de la Octava Sección indica que cada ley debe ser "necesaria y apropiada" a los poderes enumerados. Una ley no necesaria o impropia no es constitucional.

¿Limitó jamás la Constitución a funcionarios federales por su sexo, raza o herencia étnica?

La Constitución no tiene requisitos basados en sexo, etnia ni propiedad para ningún puesto nacional.

El Artículo I de la Constitución define la Cámara de Representantes. La Cámara de Representantes consiste en miembros de cada estado basado en la población de un estado determinado cada diez años en el censo. Las calificaciones para servir en la Cámara son:

- tener 25 años de edad;
- ser ciudadano de Estados Unidos un mínimo de 7 años;
- ser habitante del estado donde elegido.

Los requisitos son sencillos y progresistas. En 1787, cuando se escribió la Constitución, casi no existía votación por mujeres ni personas no blancas. En la mayoría de estados solamente hacendados podían ser funcionarios.

Los Artífices de la Constitución, a veces desacreditados como solamente un grupo de hombres viejos, ricos y blancos, esperaban ver el día cuando mujeres y ciudadanos de toda raza serían participantes integrados al gobierno nacional.

¿Cuántos miembros tiene la Cámara de Representantes?

Artículo I, Segunda Sección, define la manera en la cual se dividirán los distritos electorales (congressional districts) entre los distintos estados. Esta sección establece que cada 10 años se hará un censo de la población de Estados Unidos. Con los resultados de este censo, el Congreso determina cuántos miembros de cada estado formarán la Cámara de Representantes. El censo también se utiliza para determinar la distribución de fondos federales entre los estados.

La Constitución dictó el número de miembros a la Cámara de cada uno de los 13 estados originales hasta que se completó el primer censo. Había 65 miembros en el Primer Congreso. Con el aumento en la población estadounidense también se aumentó el número de miembros en la Cámara hasta 1929. Este año el Congreso limitó la Cámara de Representantes a 435 miembros, y estableció una fórmula para determinar el número de distritos en cada estado. Hoy día, el número continúa siendo 435. Después de cada censo, el número de representantes podría aumentar o disminuir según los cambios en la población.

¿Puso la Constitución límites específicos en el Congreso?

La Constitución no enmendada específicamente prohíbe al Congreso de hacer lo siguiente:

- Suspender el privilegio de habeas corpus;
- Imponer mayores impuestos sobre los puertos de un estado que sobre los puertos de otro;
- Pasar decretos de proscripción ni leyes ex post facto;
- Usar fondos sin autorización por ley;
- Conceder ningún título de nobleza.

Habeas corpus requiere que el gobierno explique a un juez por qué está limitando la libertad de alguna persona, y si no puede explicarse, poner a dicha persona en libertad. Prohibiciones en Proyectos de Proscripción y Confiscación y leyes *ex post facto* prohíben al Congreso de castigar a una persona particular o considerar comportamiento ilegal después de que haya ocurrido el acto.

La prohibición de títulos de nobleza afirma la creencia americana, afirmada en la Declaración de Independencia, que "todos los hombres son creados" con igualdad.

Más límites serían agregados en la Carta de Derechos (*Bill of Rights*) que comienza: "El Congreso no hará ley alguna."

¿Hay divisiones de poder dentro del Congreso?

Hay principios incorporados en la Constitución de Estados Unidos, derivados de la Declaración de Independencia. Estos principios contribuyeron a establecer separación de poderes, pesos y contrapesos y federalismo, todo con el propósito de proteger la libertad. Los Artífices se preocupaban tanto por los peligros de poder que hasta dividieron ciertas funciones entre la Cámara y el Senado.

El mayor poder y a la vez la mayor amenaza del gobierno a la libertad y a los derechos naturales es el derecho de imponer impuestos. Los Artífices querían proveer el más estricto escrutinio por los votantes sobre el sistema de impuestos.

Los ciudadanos elegirían miembros a la Cámara de Representantes de distritos locales cada dos años.

El Artículo I, Séptima Sección, Cláusula 1, de la Constitución, conocida como la "Cláusula de Iniciación" provee:Todo proyecto de ley que tenga por objeto la obtención de ingresos deberá proceder primeramente de la Cámara de Representantes; pero el Senado podrá proponer reformas o convenir en ellas de la misma manera que tratándose de otros proyectos. La Cláusula de Iniciación otorgó el poder fiscal a la parte del gobierno más acercada al pueblo. El plan era proveer una clara rendición de cuentas y brevedad de plazo para el pueblo poder expresar su opinión sobre impuestos a través de su voto y ofrecer otra división de poder dentro de la rama legislativa.

¿Puede el Congreso pasar una ley simplemente porque es favorecida por la mayoría del pueblo?

Para pasar una ley legalmente, el Congreso debe tener la autoridad otorgada por la Constitución. Si el poder no ha sido otorgado, no importa que la mayoría esté a favor de la ley.

A menudo el pueblo pide que el Congreso "haga algo" acerca de un problema.

Tales demandas para que el Congreso actúe no toman en cuenta que quizás en dicho caso no le hayamos concedido poder.

La lista de poderes en el Artículo I es la base principal de la autoridad constitucional otorgada por el pueblo.

La palabra "otorgada" es crítica. El Congreso solamente tiene el poder que "nosotros, el pueblo" le hemos concedido en la Constitución. Si no está en la lista, el Congreso legalmente no puede "hacerlo," aún si la mayoría del pueblo quiere que "lo" haga. Esto es para evitar "la tiranía por la mayoría" que podría atropellar los derechos de la minoría, una protección compleja para "los derechos inalienables" de la Declaración de Independencia.

¿Cubre el Artículo I de la Constitución solamente los temas de poderes y restricciones del Congreso?

No. El Artículo I también pone importantes límites en los gobiernos estatales. Antes de la Constitución, cada estado era casi su propio pequeño país en vez de ser parte de una nación. Una "más perfecta unión" requería que los estados dejaran de ser países separados. El Artículo I, Décima Sección, prohíbe a los estados de acciones con impacto internacional, y ningún estado podrá:

- celebrar ningún tratado, alianza o confederación;
- otorgar patentes de corso y represalias;
- acuñar moneda o emitir cartas de crédito;
- legalizar ninguna cosa que no sea la moneda de oro y plata como medio de pago de las deudas;
- aprobar leyes ex post facto o leyes que menoscaben las obligaciones que derivan de los contratos;
- conceder ningún título de nobleza;
- imponer derechos sobre artículos importados o exportados.

Y los estados necesitan obtener consentimiento del Congreso para

- establecer derechos de tonelaje;
- mantener tropas o navíos de guerra en tiempo de paz;
- celebrar convenio o pacto con otro estado o con una potencia extranjera;
- hacer la guerra, a menos de ser invadido realmente, o de hallarse en peligro tan inminente que no admita demora.

Con estos límites sobre los estados, Estados Unidos entonces pudo dirigirse al mundo con una sola voz y convertirse en la más perfecta unión como expresado en el Preámbulo.

SEAL OF THE PRESIDENT OF THE UNITED STATES
E PLURIBUS UNIM

Artículo II: El Presidente

¿Por qué tiene la oficina del presidente tanto poder?
La expectativa tácita de los redactores de la Constitución en crear esta posición potente era que una persona en la cual ellos tenían gran confianza, George

Washington, sería el primer presidente. El pueblo que había luchado una guerra para deshacerse de un rey creó un presidente con gran autoridad. El poder del presidente es el resultado de la fe que se le tenía a Washington.

El Presidente de los Estados Unidos es considerado el individuo más poderoso del mundo. La base de este poder está en el Artículo II de la Constitución.

El Artículo II usa alrededor de 1,000 palabras para definir el término de encargo, la selección, los requisitos, el juramento, las responsabilidades y las provisiones de enjuiciamiento (*impeachment*).

"Se deposita el poder ejecutivo en un Presidente de los Estados Unidos de América."

¿Vota el pueblo americano directamente por el presidente?
La respuesta breve es "no."

El Artículo II de la Constitución creó el Colegio Electoral para elegir al presidente. Cada estado tiene electores igual al total de sus Senadores y Representantes. La Constitución permite a los estados determinar cómo elegir a los electores. Una vez elegido, un miembro del Colegio puede constitucionalmente votar por cualquier persona para presidente.

Los electores ahora se escogen por voto popular por estado con los ciudadanos votando en actualidad por electores comprometidos a un candidato presidencial. El sistema podría resultar en un candidato presidencial ganando el voto del pueblo pero perdiendo en el Colegio Electoral. Esto ocurrió en 1876, 1888 y 2000 y es la base de esfuerzos para reformar el proceso de la elección presidencial. Adversarios de reforma creen que si el presidente fuera elegido por una simple mayoría popular, un candidato podría ganar con concentración en sólo centros con grandes poblaciones, ignorando otras partes del país con diferentes intereses.

¿Cuáles son los requisitos para ser presidente?

Originalmente, había solamente tres requisitos constitucionales para ser presidente. Un individuo debe:

- Ser ciudadano nacido en Estados Unidos;
- Tener por lo menos treinta y cinco años de edad;
- Ser residente por lo menos por catorce años de Estados Unidos.

La Enmienda Veintidós, en establecer límites de términos presidenciales, agregó otro requisito. Cualquier persona que haya servido más de seis años como presidente no puede ser elegido a ese puesto otra vez.

El juramento presidencial es el único juramento específicamente definido por la Constitución. Nadie puede convertirse en presidente sin tomar este juramento:

"Juro solemnemente que desempeñaré legalmente el cargo de Presidente de los Estados Unidos y que sostendré, protegeré y defenderé la Constitución de los Estados Unidos, empleando en ello el máximo de mis facultades."

¿Estaba provisto en la Constitución original que el vicepresidente se convertiría en presidente si el presidente muriera?

La Constitución no expresó que si el presidente muriera el vice-presidente se convertiría en presidente, solamente que los poderes del presidente "pasarían al Vice-Presidente."

El 4 de abril de 1841 William Henry Harrison fue el primer presidente en morir durante su cargo. La Constitución no explicaba qué hacer sobre el estatus del Vice-Presidente John Tyler. Cuando Harrison falleció el estatus constitucional de Tyler no estaba claro. ¿Era Tyler el presidente o el vice-presidente actuando como presidente? ¿Existía alguna diferencia?

Tyler actuó para resolver una pregunta constitucional, aparentemente por razones personales, no constitucionales. Tyler decidió que él era presidente y tomó el juramento presidencial. La diferencia: un presidente recibía $25,000 y el vice-presidente recibía solamente $5,000. El pago a Tyler aumentó por cinco.

Todos los vice-presidentes siguieron el precedente hasta que la Enmienda Veinticinco finalmente decidió el tema.

¿Qué limita los poderes presidenciales otorgados por la Constitución?

Aunque la Constitución otorga gran poder presidencial, ese poder se mantiene limitado. El presidente no puede hacer más allá de lo permitido por la Constitución y solamente el Congreso puede proveer el dinero para que el presidente ejerza cualesquiera de sus poderes.

El Artículo II de la Constitución define la autoridad presidencial y lo nombra el Comandante en Jefe del ejército. Como comandante del ejército más poderoso del mundo se le conoce como el más poderoso líder del mundo.

El control del Presidente sobre la rama ejecutiva viene de ese poder, con el consentimiento del Senado, para nombrar "funcionarios de los Estados Unidos." Estos funcionarios generalmente sirven al placer del Presidente (excepto jueces, quienes tienen cargo de por vida).

El Presidente representa a Estados Unidos a otros países dado el poder constitucional para negociar tratados, con la aprobación del Senado.

¿Cómo se separaban a los líderes de naciones de sus puestos antes de la provisión para enjuiciamiento (*impeachment*) presidencial ?

Benjamin Franklin notó que en la historia del mundo había sólo una manera de separar a un líder de gobierno de su puesto: asesinarlo. (Piense en la obra Julio César de Shakespeare). Franklin explicó a la Convención Constitucional que presidentes podrían "*convertirse repugnantes*." La convención comprendió a Franklin e incluyó las provisiones de enjuiciamiento (*impeachment*).

El Artículo II de la Constitución contiene la Cláusula de Enjuiciamiento (*Impeachment*) de Altos Funcionarios:

"El Presidente, Vice Presidente y todos los funcionarios civiles de los Estados Unidos serán separados de sus puestos al ser acusados y declarados culpables de traición, cohecho u otros delitos y faltas graves."

Definiendo delitos y faltas graves ha sido difícil. En práctica, la mayoría de la Cámara y dos tercios del Senado deciden cómo definir la conducta.

La idea que se pudiera separar al líder de una nación de su puesto sin asesinarlo era una idea nueva para el mundo.

¿Qué puede legalmente hacer un presidente con un bolígrafo y un teléfono?

En enero de 2014, el Presidente Obama centró atención nacional en la idea de un presidente gobernar el país por "orden ejecutiva" con su ahora famosa frase: *Yo tengo un bolígrafo y un teléfono*. Durante su discurso del Estado de la Unión en 2014 el Presidente Obama afirmó su autoridad con aún más firmes palabras:

> donde quiera y cuando quiera pueda tomar pasos sin legislación así lo haré.

Aunque Estados Unidos no tiene rey sino un presidente, la Constitución otorga muchos poderes presidenciales y el Congreso ha delegado otros por ley. Directivas, órdenes o proclamaciones presidenciales que directamente afectan las vidas de americanos individuales deben juzgarse por la autoridad presidencial legal de dictarlas.

Cuando el Presidente presenta una orden ejecutiva, la autoridad legal para esa orden debe venir de provisiones en la Constitución o de autoridad que el Congreso le ha dado al Presidente por ley. Una orden presentada fuera de estas categorías probablemente es ilegal e inconstitucional.

Las siguientes funciones presidenciales mencionadas en la Constitución le dan autoridad al Presidente para presentar algunas directivas, y él puede presentar directivas como:

- Comandante en Jefe de las Fuerzas Armadas;
- Presidente de la Rama Ejecutiva (Estado, Defensa, Tesorería, etc.);
- Jefe de la Policía de Estados Unidos;
- Jefe de Estado (principalmente en cargo de asuntos extranjeros).

En el desempeño *legal* de una de estas funciones, el poder presidencial de presentar órdenes es amplio. El Presidente también puede presentar directivas en el desempeño de la autoridad delegada por ley por el Congreso, y el Congreso puede limitar que solamente se desempeñe de una manera específica.

¿Hay alguna prueba para determinar si el Presidente ha actuado ilegalmente?

En 1952, el Presidente Harry Truman ordenó al gobierno apoderarse de las acerías del país. La Corte Suprema determinó que la orden de Truman era ilegal. Robert Jackson, Juez de la Corte Suprema, explicó cómo determinar si una orden presidencial es ilegal:

1. Cuando el Presidente actúa de acuerdo con una autorización explícita o implícita del Congreso, su autoridad está al máximo nivel. Una orden presidencial autorizada por el Congreso será constitucional, a menos que el Congreso mismo haya actuado de manera inconstitucional.
2. Cuando el Presidente actúa en la ausencia o de un otorgamiento del Congreso o de negación de autoridad, él puede depender solamente de sus propios poderes independientes. Dicho poder independiente viene de sus deberes constitucionales. Estos poderes están limitados por la separación de poder constitucional entre el ejecutivo, el Congreso y las cortes.
3. Cuando el Presidente toma medidas incompatibles con la voluntad explícita o implícita del Congreso, su poder está al

mínimo nivel. En este escenario, es posible que el presidente haya actuado de manera inconstitucional y que su orden sea ilegal.

Artículo III: La Corte Suprema

¿Es un requisito para los miembros de la Corte Suprema de ser abogados?

El Artículo III creó la Corte Suprema pero no estableció requisitos para jueces de Estados Unidos. No se requiere que un juez sea abogado.

Mientras que los Artículos I y II definen la elección del presidente y miembros del Congreso, El Artículo III no menciona la selección de jueces, ni siquiera para el cargo de Presidente de la Corte Suprema. El poder del presidente de nombrar jueces con el consejo y consentimiento del Senado se encuentra en el Artículo II, Segunda Sección bajo los poderes presidenciales. La Constitución no menciona la organización de cortes, no provee el número de jueces en la Corte Suprema, y no establece ni cortes de juicio ni de apelación. Estos asuntos caen al Congreso. El Artículo III, en establecer la tercera rama de gobierno, es interesante tanto por lo que dice como por lo que no dice.

¿La Constitución definió la organización de cortes federales?

La Constitución no provee mucho detalle sobre las cortes federales, y deja la mayor parte de decisiones al Congreso.

El Artículo III de la Constitución crea la Corte Suprema, provee los términos de por vida para los jueces, y prohíbe al Congreso de disminuir la remuneración judicial:

"Se depositará el poder judicial de los Estados Unidos en un Tribunal Supremo y en tribunales inferiores que el Congreso instituya y establezca en lo sucesivo. Los jueces, tanto del Tribunal Supremo como de los inferiores, continuarán en sus funciones mientras observen buena conducta y recibirán en periodos fijos, una remuneración por sus servicios que no será disminuida durante el tiempo de su encargo."

La Constitución permite que el Congreso decida el tamaño, horario y organización de la Corte Suprema. La Constitución da por entendido que habrá un Presidente de la Corte Suprema, pero no creó el puesto, solamente mencionándolo como el miembro de la Corte Suprema que preside en el proceso de enjuiciamiento (impeachment).

Los Artífices pensaron que la rama judicial presentaba mínimo peligro a la libertad del pueblo y le prestaron mínima atención.

¿Cómo están organizadas las cortes federales?

El Artículo III de la Constitución creó la Corte Suprema y autorizó al Congreso establecer un sistema de cortes inferiores. Hoy día hay 94 cortes a nivel de distrito y 13 cortes de apelación bajo la Corte Suprema.

Las 13 cortes de apelación bajo la Corte Suprema de Estados Unidos se llaman Cortes de Circuito de Apelación de Estados Unidos. Los 94 distritos judiciales federales están organizados en 12 circuitos regionales, cada uno teniendo una corte de apelación. Cortes de apelación deciden si una corte de juicio aplicó la ley correctamente o no. Cortes de apelación consisten en tres jueces y no tienen jurado.

Una corte de apelación escucha y considera las decisiones de cortes de distrito y apelaciones de decisiones de agencias administrativas federales.

Las 94 cortes de distrito o de juicio de la nación se llaman Cortes de Distrito de Estados Unidos. Cortes de distrito resuelven controversias al determinar los hechos y aplicar principios legales para decidir quién tiene razón. En la mayoría de casos en las cortes de juicio, las personas afectadas tienen el derecho a un juicio con jurado.

¿Cómo se seleccionan a los jueces de la Corte Suprema y otros jueces federales?

Aunque la Constitución provee calificaciones detalladas para la Cámara de Representantes, del Senado y de la presidencia, no fija criterio para jueces federales. Una vez que alguien se convierte en un juez federal, el único requisito para mantener el puesto es demostrar "buen comportamiento."

La Constitución le da la responsabilidad de nominar a jueces federales y jueces de la Corte Suprema al presidente. Las nominaciones del presidente deben ser confirmadas por el Senado.

El presidente tiene a su disposición muchos recursos para asistirlo en seleccionar nominados para cargos judiciales. El Departamento de Justicia, el Buró de Investigación Federal, mejor conocido como el FBI, miembros del Congreso, jueces y la Barra Americana de Abogados (American Bar Association) proveen al presidente con sugerencias e investigación de candidatos.

La función constitucional del Senado de aprobar jueces comenzó una importante tradición en la nominación de jueces de cortes de distritos federales. La práctica se llama cortesía senatorial. Cuando hay una vacante judicial en un estado donde los senadores pertenecen al mismo partido político que el del presidente, los senadores mandan una recomendación al presidente. El presidente casi siempre sigue la recomendación.

¿Qué tipos de casos son decididos por las cortes federales?

El Artículo III, Segunda Sección, define los tipos de casos que pueden presentarse a las cortes federales para su decisión. Las cortes federales solamente pueden considerar aquellos casos con temas definidos en la Constitución y refinados por el Congreso. Este concepto se conoce como jurisdicción de materia. Esto contrasta con las cortes estatales que pueden considerar todo tipo de controversia. Cortes estatales son cortes con jurisdicción general. Cortes federales se consideran cortes de "jurisdicción limitada." Cortes federales pueden tomar decisiones en los siguientes tipos de casos:

- casos que se relacionen a la Constitución, leyes y tratados de Estados Unidos (jurisdicción en cuestiones federales);
- casos que se relacionen a embajadores, otros ministros públicos y cónsules (jurisdicción de embajador);
- casos que se relacionen a aguas navegables (jurisdicción de almirantazgo);
- casos en que sea parte Estados Unidos (Estados Unidos como parte de jurisdicción);
- casos entre dos o más estados (jurisdicción estatal);
- casos entre ciudadanos de diferentes estados (jurisdicción de diversidad);
- casos entre ciudadanos del mismo estado reclamando tierras en virtud de concesiones de diferentes estados (jurisdicción de concesiones de tierras);
- casos entre un estado o ciudadanos de un estado y un estado extranjero o ciudadanos de un estado extranjero (jurisdicción extranjera).

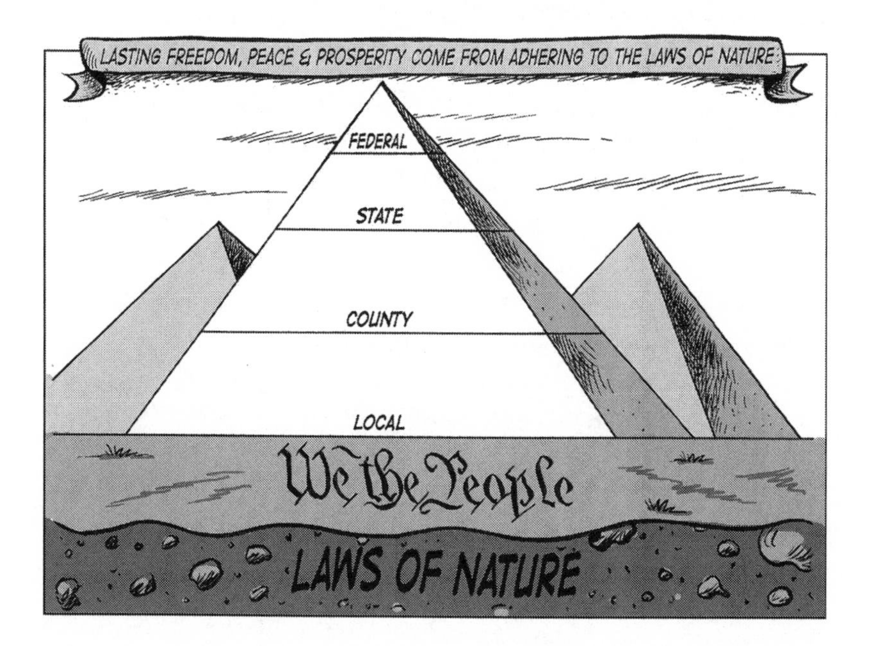

Artículo IV: Relaciones Gubernamentales

¿Por qué se puede usar un permiso de manejar expedido en un estado en otro estado?

Porque la Constitución requiere que cada estado reconozca los actos oficiales de todos los demás estados.

El Artículo IV comienza con esta frase: "Se dará entera fe y crédito en cada

Estado a los actos públicos, registros y procedimientos judiciales de todos los demás."

Cuando un ciudadano resuelve un problema en uno de los estados, esa resolución tiene que ser aceptada por todos los otros estados. La Cláusula de Entera Fe y Crédito garantiza esto. Sin esta cláusula, un estado no tendría que aceptar una licencia de matrimonio, de divorcio, de manejar, una partida de nacimiento u otras acciones resueltas en otro estado.

El Artículo IV de la Constitución de Estados Unidos define relaciones entre gobiernos en lo siguiente: el reconocimiento de los actos oficiales de cada gobierno, la forma en la cual un estado trata a los ciudadanos de otro estado, la extradición de fugitivos criminales, la devolución de esclavos, la admisión de nuevos estados y la defensa de la nación de invasión y violencia doméstica. Este Artículo provee definiciones legales que forman parte del Federalismo Americano.

¿Necesita un estado tratar a los ciudadanos de otros estados igual que trata a sus propios ciudadanos?

La Cláusula en la Constitución de "Privilegios e Inmunidades" requiere que un estado trate a ciudadanos de otros estados como trata a sus propios ciudadanos.

El Artículo IV de la Constitución, Segunda Sección provee: "Los ciudadanos de cada Estado tendrán derecho en los demás a todos los privilegios e inmunidades de los ciudadanos de éstos." Estos "privilegios e inmunidades" incluyen:

- la protección por el gobierno;
- el placer de vida y libertad;
- el derecho de un ciudadano de un estado de pasar por otro;
- los beneficios del mandato de habeas corpus;
- proseguir en pleitos de cualquier tipo en las cortes de un estado;
- adueñarse o disponer de propiedad, o de bienes raíces o personal.

Estos requisitos constitucionales son beneficios otorgados a los americanos del siglo 21 por los Artífices de la Constitución del siglo 18.

¿Cuál es el poder del Congreso de admitir a nuevos estados a la unión?

El Artículo IV, Tercera Sección otorgó al Congreso el poder de admitir nuevos estados, dando la base para el crecimiento a los 50 estados de hoy día. Mientras que la Tercera Sección otorga al Congreso amplia latitud en admitir nuevos estados a la Unión, el Artículo IV, Cuarta Sección ordena: "Los Estados Unidos garantizará a todo Estado comprendido en esta Unión una forma republicana de gobierno."

Para un Estado ser admitido a la Unión, debe establecer un gobierno representativo o republicano. Esto resulta en un gobierno que consista en representantes, en vez de la alternativa "democracia directa." Democracia directa existe cuando todos los ciudadanos elegibles votan sobre cada ley.

Las únicas otras limitaciones eran que no podía formarse un nuevo estado dentro de las fronteras de un estado existente o combinando dos estados sin aprobación legislativa de los estados implicados. Esta provisión se puso en juego cuando West Virginia fue formado de una sección de Virginia durante la Guerra Civil.

DAVID J. SHESTOKAS

CAPSULAS INFORMATIVAS CONSTITUCIONALES

(CONSTITUTIONAL SOUND BITES)

VOLUMEN DOS

TRADUCCION Y CONTRIBUCION LINGUISTICA

DRA. BERTA ISABEL ARIAS

CAPSULAS INFORMATIVAS CONSTITUCIONALES

(*Constitutional Sound Bites*)

VOLUMEN DOS

David J. Shestokas

Traducción y Contribución Lingüística
Dra. Berta Isabel Arias

DEDICADO A MI PAPA, TOM SHESTOKAS, A SUS
COMPAÑEROS VETERANOS DE LA SEGUNDA
GUERRA MUNDIAL Y A TODOS LOS DEMAS
QUIENES ARRIESGARON SUS VIDAS, FORTUNAS
Y SAGRADO HONOR POR LOS IDEALES QUE
CREARON ESTADOS UNIDOS DE AMERICA.

Introducción Volumen Dos

Esta serie, *Cápsulas Informativas Constitucionales* (*Constitutional Sound Bites*), es un esfuerzo a revelar los grandes conceptos en los documentos que unen a América, la Declaración de Independencia y la Constitución, de la manera en la cual nos comunicamos en el siglo 21. Hoy día es raro tener entre nosotros largas y detalladas discusiones filosóficas sobre la libertad y justicia y los propósitos de nuestro gobierno. La mayor parte de información disponible ahora nos llega en cortos tuiteos (*tweets*) o a través de unos pocos minutos de noticias en *YouTube.* Esta serie tratará de tomar importantes ideas sobre la Fundación de América y condensarlas en un formato popular de comunicación de hoy día, las llamadas *sound bites* o cápsulas informativas.

Hay peligro y dificultad en este esfuerzo. El peligro está en que los temas merecen más detalle que el formato permite. La dificultad está en que el formato corto y moderno de cápsulas informativas (*sound bites*), tuiteos y titulares se usa más para entretener que para informar. El reto es presentar suficiente detalle en una forma breve que a la vez interese e informe.

El tema es suficientemente importante para merecer este esfuerzo de combinar brevedad, claridad y exactitud de una manera que interese al lector a aprender más. Para el lector interesado en esto, hay algunos enlaces externos que proveen información adicional, también consistentes con el mundo moderno de comunicación.

América recibió el regalo de un gobierno dedicado a la libertad. No podemos permitir que desaparezca o que se considere una mitología como si nunca hubiera sido una realidad simplemente porque la presentación al estilo del siglo 18 es extraña a la comprensión moderna.

Los documentos fundadores de América, la Declaración de Independencia y la Constitución, contienen grandes conceptos. Algunos de estos conceptos se expresan claramente: **"todos los hombres son creados iguales."** Muchos están escondidos en frases como: "Todos los poderes legislativos aquí otorgados corresponderán a un Congreso de los Estados Unidos." Los ideales tan claramente descritos en la Declaración de Independencia y en el Preámbulo de la Constitución se encuentran en el ADN de frases que comienzan tal como "Todos los poderes legislativos." *Cápsulas Informativas Constitucionales* (*Constitutional Sound Bites*) revela algo de ese ADN.

Encontrando el Propósito en Documentos Legales

¿Cuándo fue la última vez que Ud. leyó una demanda criminal o poder de abogado como entretenimiento o para educación propia? La respuesta es probablemente que nunca. La realidad es que la Declaración de Independencia está escrita como una demanda criminal, y la Constitución como un poder de abogado. La mayoría de personas no pasan una noche de sábado ni ningún otro día de la semana leyendo un documento legal para diversión o elucidación.

A veces se leen tales documentos para obtener información, pero aún entonces, probablemente se pide la ayuda de un profesional para comprender el documento porque, como toda otra profesión, la ley tiene su propio lenguaje. Las palabras tienen un propósito específico y significan cosas claras a un abogado pero a veces no claras al resto del mundo.

Esto no es algo peculiar a la ley. Mecánicos de automóviles tienen su propio lenguaje al igual que cocineros, enfermeros, doctores, bomberos, programadores de computadoras y policía. Hay abreviaciones que significan ciertas cosas a nosotros dentro de nuestro trabajo pero que significan poco a otros. Estas abreviaciones pueden tener gran significado para las personas que las usan, pero son incomprensibles para el resto del mundo.

Estas frases especiales, "términos de arte," abreviaciones y "jerga" usualmente tienen gran sentido para las personas en una profesión específica. Asisten a las personas en completar su trabajo comunicando ideas complejas rápida y fácilmente a otros dentro de su campo a través de expresiones breves. Las ideas detrás de las palabras son comprendidas completamente por las personas que necesitan comprenderlas.

Después de todo, pocos entre nosotros jamás tendremos la necesidad de alinear las ruedas de un carro, preparar un suflé, vacunar a un niño, salvar a alguien atrapado en un edificio en llamas, depurar un sitio web o decidir si existe razón para arrestar a alguien. Hay personas con entrenamiento y conocimiento especiales que mantienen el funcionamiento de la sociedad.

Es igual en cuanto a la ley, y funciona bien cuando jueces y abogados hablan entre sí. No obstante, cada americano tiene un voto, y para correctamente utilizar ese voto no debe ser necesario consultar a un abogado sobre el significado de la Declaración de Independencia o de la Constitución.

La Declaración de Independencia y la Constitución son documentos legales.

Abogados tuvieron gran aporte en la creación de ambos documentos. Veinticuatro de los firmantes de la Declaración eran abogados. Treinta y cinco de los delegados a la Convención Constitucional de 1787 eran abogados. Ambos documentos usan términos legales que tenían significado especial en el siglo 18, y continúan con dichos significados hoy día.

Reglas de ley para Leer los Documentos tal como eran Comprendidos por los Artífices

Aparte de los términos legales usados en los documentos, hay "reglas de ley para leer" documentos. Una de las más importantes reglas para leer la Constitución fue usada por los redactores, y los partidarios de la Constitución dependieron de ella durante los debates de ratificación. Los Federalistas dependieron de la frase latina para la regla: ***Expressio unius est exclusio alterius.*** En español quiere decir: ***la mención explícita de una cosa excluye todas otras.*** Basado en esa regla de ley para leer documentos, los partidarios de la Constitución alegaban que dado que el documento tenía una lista de poderes específicos, el gobierno propuesto no podía ejercer ningunos otros poderes. A las objeciones que la Constitución no contenía una Carta de Derechos (*Bill of Rights*) dando protecciones para derechos importantes tales como libertad a elegir y practicar una religión, libertad de imprenta o de expresión, los partidarios de la Constitución respondieron que no había necesidad para tales protecciones. Se refirieron a la regla, expresando que dado que el documento daba una de lista de áreas de poder gubernamental y la lista no daba poder sobre religión, libertad de expresión o imprenta, que el gobierno no podía intervenir en estas libertades.

Dependencia en la regla de ley no era suficiente para los adversarios de la Constitución. Ellos querían mayores protecciones para derechos naturales de las que se encontraban en la frase latina. Sus objeciones resultarían en La Carta de Derechos (*Bill of Rights*).

Esta frase latina es solamente un ejemplo de los conceptos integrados en los documentos fundadores que no son mencionados obviamente en ellos. Hay otros como fiduciario, principal, agente y más. Estas son algunas entre muchas ideas escondidas que se unen a los grandes conceptos afirmados en la Declaración de Independencia y el Preámbulo.

Entre los objetivos de esta serie, *Cápsulas Informativas Constitucionales* (*Constitutional Sound Bites*) tratará de explicar algunas de estas importantes ideas en un lenguaje común y comprensible.

***Cápsulas Informativas Constitucionales* (*Constitutional Sound Bites*), La Serie**

El primer volumen de esta serie, *Cápsulas Informativas Constitucionales* (*Constitutional Sound Bites*) *Volumen Uno*, se enfoca en la filosofía de la Declaración de Independencia y la Constitución con solamente algunas anotaciones sobre los procedimientos o aspectos técnicos del gobierno creado por la Constitución. ***Volumen Uno*** también incluye los textos completos de ambos documentos.

Cápsulas Informativas Constitucionales* (*Constitutional Sound Bites*) *Volumen Dos mantiene el énfasis del ***Volumen Uno*** sobre **por qué** hay ciertas palabras y frases en la Declaración de Independencia y la Constitución. También hay más anotaciones que se enfocan en asuntos técnicos como los términos para los miembros de la Cámara y el Senado. No obstante los asuntos técnicos como el poder del Congreso de pasar leyes o el mando del presidente sobre las fuerzas armadas, se mantiene central a la relación entre esos aspectos técnicos y los temas sobresalientes de libertad y nuestros derechos inalienables.

James Madison dijo: ***Cada palabra de la Constitución decide la cuestión entre poder y libertad.*** La cuestión siempre fue cómo darle al gobierno suficiente poder para proteger la libertad y al mismo tiempo evitar que ese poder se convirtiera en una amenaza a la libertad. Las anotaciones en *Cápsulas Informativas Constitucionales* (*Constitutional Sound Bites*) son un esfuerzo a explicar cómo el diseño del gobierno quiso siempre disminuir la amenaza del gobierno a la libertad.

Esta serie espera proveer a los americanos con algo que nuestro sistema educativo parece haber permitido caer en el olvido. Aunque hay aquéllos que opinan que la eliminación de clases cívicas en las últimas generaciones ha sido a propósito para "fundamentalmente transformar América," es improbable que existan conspiraciones diabólicas con el propósito de eliminar la educación sobre estos asuntos como parte de algún complot maléfico para debilitar a América.

Es más probable que en estos momentos modernos los orígenes de América se toman casualmente. Ya han pasado siglos desde esas primeras dificultades de la fundación y las increíbles ideas de aquellos tiempos y el mundo en nuestro siglo 21. Las generaciones que siguieron la Fundación trataron de dejar su propia marca y personalidad en la historia americana. Por consecuencia, había menos concentración en la historia lejana y existía una presunción que los beneficios que nos fueron otorgados continuarían a tener el efecto deseado de libertad.

Los americanos necesitan constantemente tener presente que increíbles fuerzas históricas se unieron para culminar en la idea revolucionaria en aquel tiempo: ***Todos los hombres son creados igual.*** Cuando se piensa en el mundo del siglo 18 de castas, nobleza y sirvientes, dueños y esclavos, hacendados y siervos y obreros esclavos, es claro que el concepto de igualdad era herejía a muchas personas, ambos en América y alrededor del mundo.

En los 238+ años desde la Declaración de Independencia, el concepto que todos son creados iguales se ha evolucionado, y no se considera ni herejía ni revolucionario sino es considerado sentido común en gran parte del mundo. Aunque ahora esto es sabiduría convencional, los esfuerzos para convertirlo en nuestra realidad deben continuar. Todavía existen personas con el deseo de ejercer poder sobre otros. Tales personas siempre existirán. Por lo tanto, es necesario siempre estudiar los tiempos y los documentos que crearon el concepto y a las instituciones que fueron creadas para convertir los conceptos en realidad. Hay verdad en la idea que: *"Aquéllos que no recuerdan el pasado están condenados a repetirlo."*

Un Poco de Historia, un Poco de Filosofía e Instituciones

Con esto en mente, comprender los documentos fundadores requiere tres niveles de entendimiento: la historia de los tiempos, la filosofía básica y las instituciones prácticas que fueron creadas para poner en efecto esa filosofía en el mundo.

Se necesita saber los detalles *básicos* de cómo un proyecto de ley se convierte en ley. Pero eso no es suficiente. Igualmente crítico es saber por qué esas reglas existen. ¿Qué tratan de lograr? La respuesta breve es: un país gobernado por la ley, no por hombres, y por leyes que tienen el consentimiento de aquéllos que son gobernados. Sólo en dicho mundo pueden todos los hombres ser iguales, no en términos de capacidades, conocimiento u otros atributos sino en términos de ser tratados igualmente por la ley.

La Pérdida de una Herencia Común de Americanos

A la vez que nuevas generaciones llegan a este país, quieren dejar su propia marca en América, y piensan que sus nuevas ideas son mejores que las antiguas. Es así que nuestra historia ha tendido a convertirse en una mitología de fechas, lugares y batallas en vez de ideas. El resultado ha sido una falta de educación sobre las ideas que llevaron a América a su lugar especial en el mundo. Esto nos empeora por varias razones.

Una es lo que tienen en común las ideas fundadoras que convirtieron a personas diversas en una nación. Puede ser difícil comprender hoy día, pero cuando los americanos del siglo 18 hablaban de su país, la referencia era a sus estados natales como Virginia y Nueva York. Fueron las ideas fundadoras que crearon una nación.

Si perdemos nuestro conocimiento de estas ideas, perdemos lo que ha unido a nuestro país durante toda su existencia. Si queremos continuar a ser una nación, debemos refrescar las ideas no sólo en nosotros mismos pero *entre* nosotros.

Tomando el tiempo para considerar una idea, aún solamente por un minuto aquí y allá en nuestras ocupadas vidas, y compartirla con otros puede formar nuevos enlaces para unirnos.

James Madison escribe en Federalista 51 que, *"Los hombres no son ángeles; sus pasiones e intereses personales a menudo sobrepasan su inteligencia y sentido de justicia, por lo tanto necesitamos un gobierno para proteger nuestros derechos contra aquéllos que nos los quitarían."* Notando que los hombres no son ángeles, Madison también escribió, *"El Gobierno debe tener límites porque las personas en el gobierno tienen pasiones e intereses también."*

El conocimiento de Madison de la naturaleza humana se encuentra en la Constitución en "la separación de poderes," "controles y equilibrios," y "federalismo." Muchos americanos hoy olvidan esto, pensando que podemos eliminar los límites constitucionales del gobierno. Arriesgamos mucho si no estudiamos el propósito de estas frases.

Opiniones de la Corte Suprema No Son la Constitución

En esta serie, se encontrará solamente de cuando en cuando referencia a una opinión de la Corte Suprema. Opiniones de la Corte Suprema representan leyes constitucionales, pero no son la Constitución. La Constitución es el esfuerzo de poner en práctica los principios de su Preámbulo y de la Declaración de Independencia. Es el conocimiento de estos ideales y principios que permiten a un pueblo libre a gobernarse a sí mismo y juzgar con justicia si la Corte Suprema está haciendo un buen trabajo.

Consideraciones Constitucionales

Volumen Dos

La Constitución comienza maravillosamente con la elocuente declaración de su propósito en el Preámbulo. Después de eso, es lo que es: un documento técnico y legal. Se hace más interesante cuando se buscan los propósitos que se esperan de la separación de poderes, el Federalismo americano o principios republicanos. Se convierte casi en un rompecabezas con pequeñas piezas que se juntan para alcanzar los propósitos del Preámbulo. Esta sección, "Consideraciones Constitucionales," señala algunas de las piezas del rompecabezas para ayudarnos a ver cómo otros aspectos de la Constitución se unen para revelar un gobierno limitado que provee lo máximo de libertad.

¿Qué es una República?

Estados Unidos es una república. En una república, el pueblo elige a representantes para ejercer el poder. Una república no tiene ni rey ni reina, sino un presidente elegido o nombrado. Una república comienza con un individuo libre con el derecho de gobernarse a sí mismo. Ese individuo entrega parte de ese poder a la comunidad. La comunidad escoge representantes para servir en el gobierno, y les da a esos representantes el poder de hacer leyes. Ese poder de hacer leyes es solamente sobre aquellos temas que la comunidad ha identificado.

Los elementos de una república son estos: 1) un gobierno representativo, 2) una constitución escrita y 3) regla de ley. La regla de ley requiere que nadie se considere por encima de la ley y que los derechos de las minorías sean protegidos.

La fuente de autoridad de una república es el pueblo en

su totalidad, y el pueblo en su totalidad ratifica, o da consentimiento a, una constitución antes de que se considere en vigor. Una república no opera bajo la regla de 50% +1 por diseño para limitar el poder del gobierno y proteger los "derechos naturales."

¿Qué es una democracia?

En una democracia, los ciudadanos ejercen poder directamente. En una democracia absoluta, 50% del grupo más un ciudadano más determinan las leyes. No hay protecciones para derechos de minorías. Las minorías solamente tienen aquellos privilegios otorgados a ellos por la generosidad de la mayoría.

En su forma pura, la democracia simplemente es gobierno por la mayoría. Todos los ciudadanos se congregan para decidir cada asunto de gobierno. Las decisiones hechas por 50% + 1 de aquéllos que participen se aplican entonces a todos. A veces se refiere a la democracia pura como democracia de la muchedumbre porque decisiones hechas por una simple mayoría de la muchedumbre se imponen en todos.

¿Estableció la Constitución una democracia para Estados Unidos?

La Constitución creó una república.

Ben Franklin es famoso por haber respondido cuando se le preguntó acerca del gobierno creado por la Constitución: ***Una república, si se puede mantener.*** Estados Unidos es una República Constitucional, no una "democracia." Esta es la descripción de Franklin de una democracia: ***La democracia es dos lobos y un cordero votando en quécomer para la cena.*** Ningún documento fundador americano—ni la Declaración de Independencia, ni los Artículos de Confederación, ni la Constitución—menciona "democracia." En contraste, el Artículo IV de la Constitución requiere que cada estado sea una república.

Thomas Jefferson pensaba que las democracias eran peligrosas porque: ***Una democracia no es nada más ni nada menos que gobierno por la muchedumbre, donde cincuenta y un por ciento del pueblo puede quitarles los derechos a los otros cuarenta y nueve.***

John Adams sabía que las democracias tenían cortas vida: ***Recuerden, la democracia nunca dura mucho. Pronto se malgasta, se agota y se asesina. Nunca ha habido una democracia que no se suicide.***

En el Preámbulo, ¿qué significa "el bienestar general"?

Los Artífices de la Constitución entendían el bienestar general como el bien público o la felicidad. El Preámbulo de la Constitución habla acerca de promover el bienestar general. Esto viene de la afirmación en la Declaración de Independencia que el propósito de gobierno es asegurar para cada ciudadano sus derechos naturales a vida, libertad y la búsqueda de felicidad.

Para lograr ese propósito, los poderes del gobierno federal estaban descritos, enumerados y limitados. Todos los demás asuntos se reservaban a aquellos gobiernos más cercanos al pueblo: los estados. Esto fue diseñado para asegurar los derechos reconocidos en la Declaración. El bien público o "bienestar general" se promovería al asegurar los derechos inalienables de todos los americanos.

¿Por qué hay tres ramas de gobierno?

La respuesta breve es para proteger la libertad. Para proveer esta protección, el poder dentro del gobierno federal fue dividido. Los Fundadores sabían que si el gobierno fuera controlado por un hombre o un grupo, podría resultar en que Estados Unidos cayera bajo el dominio de otro dictador o tirano.

Para evitar el riesgo de otro dictador, el nuevo gobierno fue dividido en tres partes o ramas: la legislativa, la ejecutiva y la judicial. Diferentes personas harían la ley (legislativa), asegurarían cumplimiento con la ley (ejecutiva) e interpretarían la ley (judicial). Ninguna persona tendría todo el poder de gobierno.

Todas las tres ramas son responsables similarmente al pueblo. Cada rama puede hacer solamente lo que se le permite constitucionalmente y en esas limitaciones yacen las protecciones de nuestra libertad.

¿Qué es importante del Federalismo Americano?

El Federalismo Americano fue un desarrollo singular que se puede trazar a las Ordenes Generales de Connecticut de 1639. Los Artífices de la Constitución consideraban el federalismo como un valor crítico para la protección de la libertad en una república enorme. El dividir poder entre los gobiernos federal, estatal y local fue una adicional protección de libertad aparte de la división del poder del gobierno federal en tres ramas.

Asuntos nacionales involucrando a países extranjeros y defensa están mejor alineados con soluciones nacionales abordadas por el gobierno federal. Los gobiernos estatal y local, estando más cerca del pueblo, están mejor capacitados para lidiar con cuestiones locales. Esta división adicional de poder entre gobiernos fue diseñada para agregar protección para los derechos naturales del pueblo.

Reflexiones sobre la Declaración de Independencia Volumen Dos

La Declaración de Independencia no sólo anunció que las colonias se separaban del Imperio Británico, pero también declaró los principios directivos de la nueva nación. No había precedente para fundar una nación basada en una filosofía que comenzaba con "todos los hombres son creados iguales." Esta verdad "evidente por sí misma" y otras mencionadas en la Declaración se encuentran en la Constitución.

¿De qué manera son todos los hombres creados iguales?
La Declaración de Independencia afirma que todos los hombres son creados iguales. Cada ser humano es igual en tener los mismos derechos naturales e inalienables. Todas las personas deben tratarse igual por ley independientemente de religión, sexo u origen étnico.

Los Fundadores de América sabían que las personas no tienen iguales talentos físicos o mentales. Tales diferencias no tienen nada que ver con sus derechos naturales. Diferencias entre personas no le dan a una persona el derecho de dominio sobre otra persona. Todos los hombres y las mujeres nacen con los mismos derechos naturales que cualquier otra persona, simplemente por ser humanos.

Abraham Lincoln dijo que el principio de derechos equitativos, "abre el camino para todos – da esperanza a todos, y por consecuencia, (da oportunidad) a empresa e industria a todos." Tener derechos iguales significa tener oportunidad igual en la búsqueda de felicidad y de ser tratado igual por la ley. Así es como todos somos creados iguales.

¿Qué son los derechos naturales inalienables?

La Declaración de Independencia proclama que todas las personas nacen con derechos naturales inalienables. Estos incluyen los derechos a vida, libertad y propiedad (Jefferson cambió el uso de "propiedad" de John Locke a ***la búsqueda de la felicidad***). Estos derechos son naturales a la condición de ser humano.

El que vive bajo este principio demanda nada de otros excepto respeto mutuo de esos derechos. Los derechos naturales no son reclamos sobre propiedad o recursos de otros. La protección de tales derechos requiere solamente cooperación.

Ningún gobierno otorga derechos naturales y ningún gobierno legítimamente los puede suspender. Este es el significado de "inalienable."

¿Por qué existe el gobierno?

La Declaración de Independencia declara: ***Los gobiernos son establecidos entre los Hombres*** para asegurar sus derechos naturales. A través de la historia, se establecieron gobiernos para salvaguardar contra enfrentamientos, para proveer seguridad y para los poderosos controlar a los más débiles.

La Declaración de Independencia tiene un propósito diferente para el gobierno: la protección de los derechos naturales de aquellas personas quienes intentarían eliminar esos derechos.

A través de la historia, las personas han luchado por poder. Las personas empezaron sociedades para protección, pero los poderosos gobernaban en esas sociedades, a menudo ignorando los derechos de las personas bajo su poder, y lo llamaban "gobierno." La Declaración de Independencia explica esto y concluye que el único gobierno legítimo deriva sus ***poderes legítimos del consentimiento de los gobernados.***

¿Qué es el consentimiento de los gobernados?

La Declaración de Independencia con la frase **"consentimiento de los gobernados"** expresa la creencia que la autoridad legal y ética de un gobierno para usar el poder estatal sobre las vidas del pueblo solamente es legal cuando tiene consentimiento del pueblo bajo dicho poder estatal sobre cuándo y cómo se puede privar a alguien de vida, libertad o propiedad.

La Constitución obtuvo el consentimiento del pueblo a través del proceso de ratificación. La Constitución estipuló elecciones periódicas y un proceso de enmienda. Con elecciones y enmiendas la Constitución ofrece renovación de este consentimiento que originó con la ratificación.

Estas provisiones para la renovación de consentimiento son protecciones para la libertad, pero Thomas Jefferson estaba consciente que aún elecciones no garantizarían que el poder gubernamental no fuera abusado. Escribiendo sobre los peligros de una aristocracia elegida, Jefferson dijo: ***173 déspotas serían claramente tan opresivos como uno.*** Los procedimientos en sí no aseguran consentimiento constante. El gobierno debe merecer ese consentimiento cada día.

¿Qué son verdades evidentes por sí mismas?

Una idea es evidente por sí misma si se puede aceptar sin necesidad de prueba o explicación. La Declaración de Independencia está creada alrededor de conceptos que son indudablemente verdaderos desde primera impresión a cualquier persona razonable.

La Declaración de Independencia de Estados Unidos declara:

Sostenemos que estas Verdades son evidentes en símismas: que todos los Hombres son creados iguales, que su Creador los ha dotado de ciertos Derechos inalienables, que entre ellos se encuentran la Vida, la Libertad, y la Búsqueda de la Felicidad.

Es posible que estas verdades sean aceptadas como evidentes por sí mismas en mucho del mundo hoy día. En 1776, cuando la norma eran las monarquías y la esclavitud era legal, la verdad aceptada era que algunos nacían con más derechos que otros. La Declaración de Independencia comenzó a cambiar esto y el cambio continúa.

¿Qué es el Derecho de Revolución?

Entre los derechos incluidos en la Declaración de Independencia hay uno que frecuentemente es ignorado: El Derecho de Revolución. Después de describir el propósito del gobierno, la Declaración afirma, ***que el Pueblo tiene el derecho de cambiar o abolir cualquier otra Forma de Gobierno que tienda a destruir estos Propósitos, y de instituir un nuevo Gobierno.*** Thomas Jefferson declaró claramente el derecho de las personas de una nación de derrocar un gobierno que actúa contra sus intereses comunes.

John Locke, a quién Jefferson citó extensivamente, se explica de esta manera en su **Segundo Tratado sobre el Gobierno Civil**: "*en todo momento que Legisladores tratan de quitar y destruir la Propiedad del Pueblo, o de Esclavizarlo bajo Poder Arbitrario . . . el Pueblo . . . absuelto de más Obediencia . . . tiene el Derecho de conseguir su Libertad original.*"

Este es el Derecho del Pueblo a Revolución.

¿Quién era la audiencia para la Declaración?

La Declaración de Independencia está dirigida a tres audiencias: el pueblo americano, El Rey George y el Parlamento Británico y las naciones del mundo. Era para motivar al número más grande posible de americanos a unirse a la Revolución, decirle a los ingleses que América estaba actuando en serio y reclutar a potenciales aliados.

La Revolución necesitaba amplio apoyo del pueblo americano y de los aliados internacionales. Para los americanos, la lucha era por valores eternos y universales. Para conseguir aliados y apoyo de la comunidad internacional, los americanos tenían que ser independientes del Imperio Británico. Sin independencia, no había esperanza de ayuda de otros países.

La Declaración de Independencia intentó incitar al pueblo a rebelión, dar credibilidad a los pocos amigos de América en el Parlamento Británico y obtener aliados internacionales. Tuvo éxito en todo respecto.

La última audiencia eran los futuros americanos. Los valores eternos y universales de la Declaración continúan a inspirarnos.

¿Por qué había una lista de agravios contra el Rey George?
Thomas Jefferson, el autor principal de la Declaración de Independencia, era abogado. Jefferson organizó la Declaración como una demanda en un caso judicial. Hay una declaración de la ley, una lista de violaciones de la ley y un remedio apropiado para esas violaciones.

Jefferson declaró la ley de derechos naturales, el propósito de gobierno y el consentimiento de los gobernados. La lista de agravios demostró cómo el Rey George violó la ley. Entonces Jefferson describió el remedio para las violaciones del Rey: ***estas Colonias Unidas son y tienen el Derecho de ser Estados Libres e Independientes; que están exentas de toda Lealtad a la Corona Británica y que todo nexo político entre ellas y el Estado de Gran Bretaña estáy debe ser disuelto.*** La lista de agravios explicó al pueblo americano, al gobierno británico y a la comunidad internacional las razones por la independencia americana. La lista también sirvió a futuras generaciones de americanos para tener una lista de acciones gubernamentales que son intolerables.

Artículo I: El Congreso Volumen Dos

Aunque el gobierno federal fue separado en tres ramas iguales de gobierno, los Fundadores consideraron al Congreso como "el primero entre iguales." Es por eso que el primer artículo de la Constitución está dedicado al Congreso, sus poderes y los límites en esos poderes.

¿Qué son poderes legislativos?

Para los Fundadores, el poder legislativo era el poder de hacer leyes que se aplican igualmente a todos los miembros de la sociedad. El Artículo I, Primera Sección de la Constitución declara: ***Todos los poderes legislativos otorgados en la presente Constitución corresponderán a un Congreso de los Estados Unidos.*** El poder legislativo es la autoridad de hacer leyes y enmendar o derogarlas. El Congreso es la rama del gobierno encargada con hacer leyes. Estas leyes incluyen establecer y recaudar impuestos y de utilizar los ingresos generados por esos impuestos.

La Constitución dice que todos los poderes para hacer leyes son otorgados al Congreso. La Constitución no le otorga al Congreso el poder de permitir que otros hagan leyes. El principio constitucional de una república representativa es violado cuando el Congreso otorga poder a agentes no elegidos a la rama ejecutiva para hacer reglas que en práctica son leyes.

Hay agencias federales como el FDA, OSHA, EPA y IRS y más que dictan "reglas" que controlan las actividades de los americanos. Estas reglas son "leyes" y sobrepasan el poder legislativo otorgado por la Constitución.

¿Por qué son los miembros de la Cámara elegidos solamente por dos años?

En la Convención Constitucional de 1787 había dos campos de filosofía. En las colonias y recién formados estados, la tradición había sido elegir legisladores cada año. Muchos delegados pensaban que este formato también serviría mejor para el nuevo gobierno. Había otros que pensaban que dado el tamaño del país y los retos de viaje y comunicación en 1787, un término de tres años sería mejor. Al final de cuentas, aquéllos que favorecían un término de tres años y aquéllos que querían elecciones anuales llegaron a un compromiso con el término de dos años para miembros de la Cámara de Representantes.

La Cámara de Representantes fue diseñada para ser la parte del gobierno más allegada y más receptiva al pueblo. Cortos términos de la Cámara eran esenciales para lograr ese propósito. El término de dos años era práctico también. Términos para el presidente y senadores tenían un número par de años. El término para la Cámara de dos años permitía tener elecciones para diferentes puestos al mismo tiempo.

¿Cuántos Representantes vienen de cada estado?

El Artículo I, Segunda Sección define la manera en la cual distritos electorales (*congressional districts*) han de dividirse entre los estados, pero cada estado debe tener por lo menos uno. Esta sección establece que cada 10 años se tomará un censo de la población de Estados Unidos. Con el resultado del censo, el Congreso determina cuántos miembros vendrán a la Cámara de Representantes de cada estado. El censo también se usa para determinar cómo distribuir los recursos federales entre los estados.

La Constitución fijó el número de miembros de la Cámara de cada uno de los 13 estados originales que se utilizó hasta que se completó el primer censo. Hubo 65 miembros en el Primer Congreso. Al aumentar la población estadounidense también aumentó el número de miembros de la Cámara hasta 1929. Ese año el Congreso limitó la Cámara de Representantes a 435 miembros y estableció la fórmula para determinar cuántos distritos habría en cada estado. Después de cada censo, el número de representantes puede aumentar o disminuir según los cambios en la población.

¿Qué significa "enjuiciamiento (*impeachment*) de altos funcionarios"?

Enjuiciamiento (*impeachment*) — "proceder en los casos de responsabilidades oficiales" en las palabras utilizadas por los Artífices de la Constitución es acusar a un funcionario de mala conducta en su puesto. Enjuiciamiento (*impeachment*) declara que hay razón para separar a una persona de su cargo. Es el primer paso en un proceso que **podría** separar a alguien de su cargo. Después del enjuiciamiento (*impeachment*) se sigue con un juicio para determinar si la persona es culpable de la mala conducta alegada en los artículos de enjuiciamiento (*impeachment*).

El Artículo I de la Constitución otorga el poder de enjuiciamiento (*impeachment*) de funcionarios federales a la Cámara de Representantes: ***La Cámara de Representantes . . . serála única facultada para declarar que hay lugar a proceder en los casos de responsabilidades oficiales.*** Eso significa que la Cámara decide (como un gran jurado en un caso criminal) si hay razón para creer que un funcionario ha cometido un delito de enjuiciamiento (*impeachment*) procesable.

El Artículo II, Cuarta Sección de la Constitución define un delito de enjuiciamiento(*impeachment*) procesable como, ***traición, cohecho u otros delitos y faltas graves.*** Este poder se extiende a todos los funcionarios de las ramas del ejecutivo y judicial, incluso al presidente. Una mayoría de los miembros de la Cámara de Representativos debe votar para proceder en los casos de responsabilidades oficiales de un funcionario federal.

¿Por qué sirven los Senadores por seis años?

Los Artífices de la Constitución comprendían la necesidad de tener elecciones regularmente para mantener un gobierno receptivo al pueblo. Era igualmente importante proveer para la continuidad y estabilidad del gobierno. Se les otorgaron más largos términos a los Senadores para cumplir con estas necesidades de continuidad y constancia.

El ciudadano politizado concebido por los Artífices de la Constitución lograría cambios en la legislatura con regularidad. Los más largos términos del Senado significaban que aún con grandes cambios habría experiencia o "memoria institucional" en la legislatura. Los Artífices no imaginaron a los políticos de por vida que pasarían décadas en la legislatura tal como es la realidad del siglo 21.

La idea de tener algunos políticos con experiencia legislativa sirviendo junto a otros más recientemente elegidos resultaría en una más eficiente operación.

¿Es el vicepresidente miembro de la rama legislativa o la rama ejecutiva?

El Artículo I de la Constitución define la rama legislativa. El Artículo I incluye la posición del vice-presidente: ***El Vicepresidente de los Estados Unidos serápresidente del Senado, pero no tendrávoto sino en el caso de empate.*** Aparte de reemplazar a un presidente que muera o se incapacite para servir, los únicos deberes constitucionales del vice-presidente son de presidir sobre el Senado y depositar su voto en caso de empate. Estos deberes hacen que el vice-presidente sea parte del Congreso.

La Constitución no dice mucho sobre la función del vice-presidente y no le da autoridad ejecutiva alguna. Tres enmiendas en un periodo de 175+ años fueron necesarias para clarificar el detalle de sucesión vice-presidencial.

Romper empates no parece mucho, pero vice-presidentes han votado 244 veces para decidir votos en el Senado. En cuanto a responsabilidades ejecutivas, un vice-presidente solamente tiene las responsabilidades que el presidente decida darle. ¿Es la posición legislativa o ejecutiva? Usted decida.

¿Por qué deben iniciarse proyectos de ley para recaudar ingresos en la Cámara de Representantes?

El poder más fundamental de gobierno y a la vez la mayor amenaza a la libertad y a los derechos naturales es el poder de imponer impuestos. Considerando los abusos del sistema fiscal bajo los reyes británicos y su Parlamento, los Artífices de la Constitución querían que los ciudadanos pudieran supervisar el sistema fiscal de Estados Unidos.

Miembros de la Cámara de Representantes son elegidos a cortos términos de dos años por distritos locales y son los funcionarios de gobierno más acercados al pueblo. Los miembros del Senado sirven más largos términos de seis años y antes de la Enmienda Diecisiete eran elegidos por legislaturas estatales y no por los votantes. Aún hoy, aunque escogidos por elecciones directas, los Senadores están menos conectados a los votantes en parte por los términos más largos del Senado y por tener que servir a un estado entero.

Para proveer que la parte del gobierno más acercada al pueblo fuera responsable por imponer impuestos, el Artículo I, Séptima Sección, Cláusula 1 de la Constitución, conocida como la "Cláusula de Iniciación" provee: ***Todo proyecto de ley que tenga por objeto la obtención de ingresos deberáproceder primeramente de la Cámara de Representantes; pero el Senado podráproponer reformas o convenir en ellas de la misma manera que tratándose de otros proyectos.*** Si se necesita imponer impuestos, la Constitución requiere que se inicie el proceso en la Cámara de Representantes.

¿Se convierte en ley un proyecto de ley cuando la mayoría de ambas Cámaras del Congreso están de acuerdo?

La respuesta breve es no, a menos que el presidente lo firme, o una súper mayoría del Congreso lo pase no obstante objeciones del presidente. La Constitución mezcla algunos poderes entre las ramas de gobierno. El Artículo I se enfoca en el poder legislativo, pero también le otorga al presidente un papel en "hacer una ley." El Artículo I, Séptima Sección provee: ***Todo proyecto aprobado por la Cámara de Representantes y el Senado se presentaráal Presidente de los Estados Unidos antes de que se convierta en ley; si lo aprobare lo firmará; en caso contrario lo devolverá, junto con sus objeciones.***

Esto se conoce como La Cláusula de Presentación. Esta provisión protege el poder de veto del presidente. También define la única forma de aprobar una ley federal: todos los proyectos de ley tienen que ser aprobados en ambas Cámaras del

Congreso y están sujetos al veto del Presidente. Esta es la manera constitucional de crear una ley. La Cláusula de Presentación también podría llamarse apropiadamente La Cláusula de Aprobar Leyes.

¿Qué son poderes enumerados?

El gobierno federal posee poderes que están específicamente definidos en la Constitución. Se refiere a éstos como los poderes delegados o expresados, pero típicamente son identificados como los "poderes enumerados." La premisa de la Constitución es que el gobierno federal está limitado a aquellos poderes y que no puede actuar más allá de lo permitido por la Constitución.

Los poderes enumerados se encuentran en el Artículo I, Octava Sección de la Constitución de Estados Unidos, donde se define la autoridad legislativa del Congreso. Que estos poderes forman una lista limitada se reitera en la Décima Enmienda que provee: ***Los poderes que la Constitución no delega a los Estados Unidos ni prohíbe a los Estados, quedan reservados a los Estados respectivamente o al pueblo.*** Estos límites se consideraban clave para mantener la libertad del pueblo.

¿Cuál es el poder del Congreso a regular el "comercio"?

La Cláusula de Comercio es uno de los poderes enumerados en el Artículo I, Octava Sección de la Constitución. Otorga el poder ***para reglamentar el comercio con las naciones extranjeras, entre los diferentes Estados y con las tribus indias.*** Durante el tiempo de los Artículos de Confederación antes de la Constitución, restricciones de comercio entre estados fueron una de las razones que los Artículos fallaron y que se necesitaba una Constitución. La Cláusula de Comercio le otorgó al Congreso el poder de abordar estos problemas.

Por más de 150 años, la Corte Suprema generalmente consideró la Constitución como un límite sobre la autoridad del Congreso. En 1942, eso cambió con el caso de *Wickard v. Filburn.* La Corte Supremas dictó que un campesino cultivando trigo para uso propio era parte del comercio interestatal y podía ser regulado por el Congreso.

El momento que la Corte Suprema permitió al Congreso imponer una multa al campesino Roscoe Filburn por cultivar trigo que él nunca vendería a otra persona, quedaron pocos verdaderos límites constitucionales sobre el poder federal. Esto cambió el significado de la Constitución dramáticamente como interpretado por la Corte Suprema, contradictorio al concepto de un gobierno limitado y libertad máxima.

¿Qué es el poder de declarar guerra?

El Artículo I, Octava Sección, Cláusula 11, conocida como la Cláusula de Poderes de Guerra, otorga al Congreso el poder de declarar guerra, con la siguiente frase: ***Para declarar la guerra, otorgar patentes de corso y represalia y para dictar reglas con relación a las presas de mar y tierra.*** Ha habido solamente cinco declaraciones formales de guerra por el Congreso en la historia de Estados Unidos: la Guerra de 1812, la Guerra entre México y los Estados Unidos, la Guerra entre España y los Estados Unidos, la Primera Guerra Mundial y la Segunda Guerra Mundial. Esas declaraciones eran muy claras y nombraron once naciones contra quienes Estados Unidos declaró guerra.

La Constitución sí requiere que el Congreso use palabras particulares para declarar guerra. La nación ha estado en guerra frecuentemente fuera de los conflictos declarados formalmente. La falta de una declaración oficial históricamente no ha inhibido a un presidente de comprometer fuerzas armadas a una acción militar.

El controversial Acto de Poderes de Guerra de 1973, pasado a pesar del veto del Presidente Nixon, es un esfuerzo del Congreso de imponer su control sobre acción militar ejecutiva. Presidentes han tomado la posición que el Acto no es constitucional.

PRESIDENTS of the UNITED STATES
SEAL OF THE PRESIDENT OF THE UNITED STATES
Washington 1789-1797
J. Adams 1797-1801
Jefferson 1801-1809
Madison 1809-1817
Monroe 1817-1825
J. Q. Adams
Jackson 1829-1837
Van Buren 1837-1841
Buchanan 1857-1861
A. Johnson 1865-1869
Grant 1869-1877
Hayes 1877-1881
Garfield 1881-1881
Arthur 1881-1885
Cleveland
B. Harrison
McKinley 1897-1901
T. Roosevelt
Taft
Wilson 1913-1921
Harding
Coolidge
Hoover 1929-1933
F. Roosevelt 1933-1945
Truman 1945-1953
Eisenhower 1953-1961
Kennedy 1961-1963
L. Johnson 1963-1969
Nixon 1969-1974
Ford 1974-1977
Carter 1977-1981
Reagan 1981-1989
G. H. Bush 1989-1993
Clinton 1993-2001
G. W. Bush 2001-2009
Obama 2009-present

Artículo II: El Presidente, Volumen Dos

Estados Unidos acababa de luchar una revolución para liberarse de la tiranía del Rey George. El tratado* Sentido Común *de Thomas Paine había motivado a muchos a participar en la guerra contra la monarquía. En la Constitución, la creación de la presidencia fue un asunto delicado.

¿Qué significa ser el Comandante en Jefe?

El Artículo II, Segunda Sección de la Constitución contiene la cláusula acerca del Comandante en Jefe: ***El Presidente será comandante en jefe del ejército y la marina de los Estados Unidos y de la milicia de los diversos Estados, cuando se la llame al servicio activo de los Estados Unidos.***

El presidente comanda las fuerzas armadas, pero no es miembro del servicio militar. Era crítico para los Artífices que una persona civil estuviera en control de los militares. Control civil sobre las fuerzas militares se consideró una protección contra una toma de poder por los militares.

Los poderes del Congreso aumentan el control de los civiles sobre los militares. La Constitución le da al Congreso la autoridad para declarar guerra y controlar fondos para operaciones militares. También hay controles sobre el Comandante en Jefe.

A pesar de estos controles, presidentes afirman que la Cláusula del Comandante en Jefe les da amplio poder. El Congreso, subrayando que los Artífices nombraron al presidente Comandante en Jefe para preservar la autoridad civil sobre la militar, tiende a restringir el poder presidencial.

¿El presidente nombra a todos los funcionarios de gobierno?
No. El Artículo II, Segunda Sección, Cláusula 2 de la Constitución es la Cláusula de Nombramientos y le da poder al presidente a nombrar "con el consejo y consentimiento del Senado . . . embajadores, los demás ministros públicos y los cónsules, los jueces de la Corte Suprema, y todos los demás funcionarios de los Estados Unidos."

Funcionarios inferiores pueden ser nombrados sin pasar por el proceso de consejo y consentimiento ya que ***el Congreso podrá atribuir el nombramiento de los funcionarios inferiores que considere convenientes, por medio de una ley, al Presidente solo, a los tribunales judiciales, o a los jefes de los departamentos.***

La Cláusula de Nombramientos divide funcionarios federales en dos clases: funcionarios mayores y funcionarios inferiores, cuyos nombramientos el Congreso puede permitir ser hechos por el presidente u otros oficiales sin el consentimiento del Senado. El Congreso puede crear otros puestos que no son nombrados por el presidente sino por miembros judiciales o miembros designados de la rama ejecutiva. No todos los funcionarios de gobierno son nombrados por el presidente. Permitir que jueces nombren a otros funcionarios de la rama judicial apoya la idea de "separación de poderes."

¿Por qué hay un Discurso sobre el Estado de la Unión?
El Artículo II, Tercera Sección, Cláusula 1 de la Constitución dice que el Presidente ***deberá proporcionar al Congreso informes sobre el estado de la Unión, recomendando a su consideración las medidas que estime necesarias y oportunas.***

La palabra *"periódicamente"* no impone una obligación en el presidente de proporcionar información al Congreso anualmente. George Washington comenzó la tradición anual con el primer discurso presidencial al Congreso el 8 de enero de 1790. El presidente no necesita dirigirse al Congreso en persona para cumplir con su obligación constitucional. De 1801 a 1913, el "mensaje anual" del presidente fue enviado por escrito. En 1913 Woodrow Wilson de nuevo comenzó la práctica de un discurso personal, y en los últimos 100 años, solamente en 1981 no fue el mensaje presidencial presentado en persona al Congreso. En

1934, Franklin Roosevelt usó la frase "estado de la unión" en su mensaje. Ya para 1947, el reporte anual del presidente se conocía como el Discurso del Estado de la Unión.

¿Qué significa que las leyes se ejecuten fielmente?

El Artículo II, Tercera Sección, requiere que el Presidente ***cuidará de que las leyes se ejecuten fielmente.*** La Constitución no exige que el presidente personalmente ejecute las leyes. El puede delegar dicha ejecución de la ley a otros, pero la responsabilidad de asegurar que dicha ejecución sea fiel cae totalmente en el presidente.

El presidente no puede suspender leyes. No se le permite favorecer proyectos de ley sobre leyes debidamente promulgadas. El no puede favorecer partidarios políticos o castigar a adversarios políticos en la ejecución de las leyes.

Los reyes ingleses habían afirmado autoridad de suspender leyes unilateralmente. Los Artífices explícitamente impidieron esa práctica y no se le permite ese poder al presidente.

El presidente debe hacer aplicar todos los actos constitucionalmente válidos del Congreso, aún cuando no esté de acuerdo con ellos. El Congreso tiene poderes de apropiación, de enjuiciamiento (*impeachment*) y otros poderes sobre el presidente si él no cumple en su deber de ejecución de la ley.

¿Por qué hay un juramento específico para la presidencia?

Todos los oficiales federales, estatales y locales toman un juramento a la Constitución, pero ningún otro juramento, sólo el juramento presidencial, tiene las palabras explícitamente escritas en la Constitución.

El cargo de presidente fue concebido para poseer atributos particulares: discreción, vitalidad, reserva, prontitud y sensibilidad. Los Artífices creían que la presidencia del país necesitaba estas cualidades para ser efectivo, particularmente en tiempos de crisis. El cargo fue creado considerando estas ideas.

Se le otorgó al presidente gran poder, pero el Congreso frena ese poder. El presidente debe desempeñar su cargo dentro de esas limitaciones. El juramento específico está diseñado para llamarle la atención al presidente a los límites constitucionales sobre su poder.

Antes de asumir su cargo, el presidente jura desempeñar su poder dentro de los límites constitucionales. El siguiente juramento le recuerda que él no es un rey: "Juro solemnemente que desempeñaré legalmente el cargo de Presidente de los Estados Unidos y que sostendré, protegeré y defenderé la Constitución de los Estados Unidos, empleando en ello el máximo de mis facultades."

Artículo III:

La Rama Judicial Volumen Dos

En los 226 + años desde que se adoptó la Constitución, la rama a la cual se le dio menos atención en la Constitución en efecto ha conseguido igualdad en el gobierno federal. El poder específico de la Corte Suprema otorgado por la Constitución no era amplio, y la Constitución permite al Congreso definir y limitar aún más a la Corte. Sin embargo, la Corte decide lo que la ley intenta decir. La Corte Suprema ha dicho que la ley dice que es muy poderosa.

¿Les da la Constitución poder a cortes para declarar una ley inconstitucional?

El poder para declarar una ley inconstitucional no se menciona en la Constitución. El Artículo III, el cual define la autoridad de la corte dice: ***El Poder Judicial entenderá en todas las controversias . . . que surjan como consecuencia de esta Constitución.*** El Artículo VI exige que: ***"Esta Constitución . . . será la suprema ley del país.***

La pregunta que se impone: ¿Qué hace un juez cuando otra ley contradice la Constitución? John Marshall contestó esa pregunta en *Marbury v. Madison*: ***si una ley se encuentra en oposición a la Constitución... y resulta en que el Tribunal debe decidir o... conformidad a la ley, ignorando la Constitución, o conformidad a la Constitución, ignorando la ley... la Constitución es superior a cualquier otro acto ordinario de la legislatura, la Constitución, y no dicho acto ordinario, debe gobernar.*** La Constitución no les dio explícitamente a las cortes el poder de declarar leyes inconstitucionales. Sí otorgó el poder para decidir casos inconstitucionales y denotar la Constitución como la ley suprema. Con esa combinación, el poder de la corte, ahora conocido como revisión judicial, simplemente tiene sentido.

¿Por qué son los jueces federales nombrados de por vida?

Los jueces son nombrados de por vida para evitar que se encuentren bajo las presiones de eventos políticos y sociales del día. Si hubiera un cambio de jueces cada vez que cambiara el partido en poder, entonces ellos podrían tomar decisiones no basadas en la ley, sino en el deseo de mantener sus puestos. Los términos de por vida permiten a los jueces sentirse libres de las fuerzas públicas o políticas en decidir casos.

Los Fundadores querían separar a los jueces de la política para que pudieran ser imparciales en rendir juicio sin preocupación de retribución por un veredicto impopular.

Los nombramientos de jueces de por vida también garantiza la separación de poderes entre las ramas de gobierno. Los jueces no les deben su empleo continuo a los presidentes que los nombraron ni a los Senadores quienes dieron su consentimiento.

El Artículo III de la Constitución garantiza ambos el puesto y remuneración de un juez para asegurar que la rama judicial sea independiente.

¿Cuál es el único crimen definido en la Constitución?

La traición es el único crimen definido en la Constitución. El Artículo III, Tercera Sección provee que, ***La traición contra los Estados Unidos sólo en hacer la guerra en su contra o en unirse a sus enemigos, impartiéndoles ayuda y protección.***

El crimen de traición fue hecho constitucional para hacerlo específico y no sujeto a cambio por el Congreso y usado por razones políticas. Los Artífices sabían que el gobierno británico había abusado la acusación contra enemigos políticos.

Durante los debates de ratificación, los partidarios de la Constitución aclararon que la definición limitada de traición protegería prácticas ordinarias políticas de persecuciones tiránicas.

En la ley inglesa, por mucho tiempo antes de la Revolución, simplemente contemplar la muerte del rey (conocido como "usando brújula") era traición. La acusación se usaba libremente contra adversarios políticos y el peligro de ser arrestado por traición solamente por criticar el gobierno callaba mucha oposición.

Parafraseando a Ben Franklin, la acusación de traición era la excusa que los que ganaban usaban para ahorcar a los que perdían. Eso no existiría en la república americana.

Article IV: State Relations

- Article IV governs the relationships among **THE STATES**. Under the Articles of Confederation, the **STATES** treated one another like independent sovereign nations, but under the Constitution, **THE STATES** had to respect one another's **COURT DECISIONS and LAWS**.

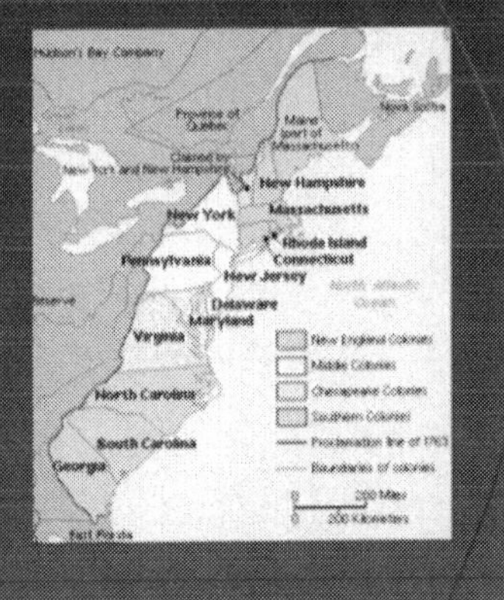

Artículo IV: Relaciones Gubernamentales Volumen Dos

*Artículo IV gobierna las relaciones entre LOS ESTADOS. Bajo los Artículos de Confederación, los ESTADOS se trataban entre sí como independientes y soberanas naciones, pero bajo la Constitución, LOS ESTADOS tenían que respetarse las DECISIONES Y LEYES DE SUS CORTES.

La Constitución creó un sistema dual de gobierno que era único en la historia mundial con diferentes gobiernos responsables por diferentes asuntos a través del mismo territorio. Esto era el Federalismo Americano, y la Constitución incluye muchos detalles de cómo el gobierno federal se relacionaría a los estados y cómo los estados se relacionarían entre sí. El Artículo IV menciona muchos de estos asuntos. El propósito era tener ambos niveles de gobierno capacitados para gobernar y al mismo tiempo ser un control entre sí para proteger la libertad del pueblo.

¿Qué tipo de gobierno requiere la Constitución en los estados?
Cada estado en la unión tiene que ser una república. Este mando está en la Cláusula de Garantía del Artículo IV de la Constitución que requiere que Estados Unidos *"garantizarán a todo Estado comprendido en esta Unión una forma republicana de gobierno."* Esto significa un gobierno sin rey, responsable al pueblo y gobernado por "la regla de ley." Los estados no tendrían rey, pero tendrían elecciones para representantes al gobierno y leyes establecidas se aplicarían igualmente a todos los ciudadanos. Esta es la esencia de una república.

Para un Estado ser admitido a la Unión, debe establecer un

gobierno republicano. Los Fundadores no querían ni reyes en los estados ni gobernanza por la muchedumbre que es parte de una "democracia directa." Una "forma republicana de gobierno" protege los derechos de todos los ciudadanos, no solamente ésos de una mayoría momentánea. Proteger gobiernos republicanos por todo el país significa proteger el gobierno republicano en cada estado.

James Madison aclaró esto en Federalista No. 10.

¿Tiene el gobierno federal una obligación a los estados en caso de invasión?

En la Constitución, el gobierno federal también garantiza a los estados que "protegerá cada uno contra invasión." Como mínimo, es la obligación del gobierno federal proteger a los estados de invasión extranjera, con fuerza militar si fuera necesaria. Esta cláusula obliga al gobierno federal asegurar las fronteras del país. Esta garantía es parte de un objetivo constitucional general, que aunque Estados Unidos comparta poder con los estados internamente, el país tendrá una sola política exterior para comunicar con una sola voz al mundo extranjero.

La obligación del gobierno federal de proporcionar seguridad de las fronteras es un requisito de la Constitución.

¿Cuál gobierno es principalmente responsable de abordar disturbios internos dentro de las fronteras de un estado?

Los estados tienen responsabilidad principal por disturbios internos dentro de sus fronteras. La última provisión de la Cláusula de Garantía dirige al gobierno federal a proteger cada estado "cuando lo solicite la legislatura o el ejecutivo (en caso de que no fuese posible reunir a la legislatura) contra disturbios internos."

Esto es importante porque autoriza a la legislatura de cada estado (o al ejecutivo, si la legislatura no puede convenir a tiempo) a pedir ayuda federal por disturbios u otra violencia.

El mensaje es que sin una petición del estado de ayuda federal por disturbios dentro de sus fronteras, el gobierno federal no puede legalmente mandar tropas (o federalizar la Guarda Nacional) para controlar violencia dentro de un estado. La responsabilidad del Congreso para aplacar la violencia doméstica es secundaria a los estados. La autoridad federal existe solamente cuando un estado pide ayuda. La presunción de la Constitución es que si falta la invitación por un estado, el gobierno central no puede mandar un ejército para "asegurar la tranquilidad doméstica." Esto es consistente con la visión de los Fundadores que un ejército permanente presentaba un peligro a la libertad.

Article V

The Congress, whenever two thirds of both houses shall deem it necessary, shall propose amendments to this Constitution, or, on the application of the legislatures of two thirds of the several states, shall call a convention for proposing amendments, which, in either case, shall be valid to all intents and purposes, as part of this Constitution, when ratified by the legislatures of three fourths of the several states, or by conventions in three fourths thereof, as the one or the other mode of ratification may be proposed by the Congress; provided that no amendment which may be made prior to the year one thousand eight hundred and eight shall in any manner affect the first and fourth clauses in the ninth section of the first article; and that no state, without its consent, shall be deprived of its equal suffrage in the Senate.

Artículo V: Enmiendas

Aunque los Artífices dieron cuidadosa consideración en construir el gobierno, tuvieron la sabiduría de saber que no podían proveer por toda posibilidad que se pudiera presentar en el futuro. Comprendiendo esto, incluyeron el Artículo V para permitir enmendar o cambiar la Constitución.

¿Puede cambiarse la Constitución?

La Constitución puede cambiarse con enmiendas.

Los Fundadores querían una Constitución que pudiera resistir la prueba del tiempo. Ellos sabían que cambiantes circunstancias traerían diferentes problemas, retos y la necesidad de cambiar la carta del gobierno estadounidense e incluyeron un proceso de enmienda.

El Artículo V de la Constitución define este proceso: *Siempre que las dos terceras partes de ambas Cámaras lo juzguen necesario, el Congreso propondrá enmiendas a esta Constitución, o bien, a solicitud de las legislaturas de los dos tercios de los distintos Estados, convocará una convención con el objeto de que proponga enmiendas, las cuales, en uno y otro caso, poseerán la misma validez que si fueran parte de esta Constitución, desde todos los puntos de vista y para cualesquiera fines, una vez que hayan sido ratificadas por las legislaturas de las tres cuartas partes de los Estados separadamente o por medio de convenciones reunidas en tres cuartos de los mismos, según que el Congreso haya propuesto uno u otro modo de hacer la ratificación.*

¿Cómo se proponen enmiendas a la Constitución?

El Artículo V de la Constitución provee dos métodos para proponer enmiendas. El primero, y único método utilizado hasta el presente, es para dos tercios de cada Cámara de Congreso proponer una enmienda y mandarla a los estados para ratificación.

El segundo método es para dos tercios de las legislaturas de los estados pedir al Congreso de convenir una Convención para proponer enmiendas. El Artículo V provee que "el Congreso debe" convenir la convención una vez que dos tercios de los estados hayan pedido una convención. Este método nunca se ha usado.

A través del tiempo, cuando una Convención para Enmienda ha parecido posible, el Congreso ha actuado para proponer enmiendas para evitar tal convención.

Actualmente, hay fuertes movimientos para tener una convención para enmiendas para un presupuesto equilibrado y límites de términos para el Congreso, enmiendas que el Congreso se niega a proponer.

¿Cómo entran en vigor las enmiendas a la Constitución?

Enmiendas propuestas entran en vigor cuando "ratificadas" o aprobadas por tres cuartos de los estados.

El Artículo V de la Constitución sobre las enmiendas provee dos métodos para ratificar enmiendas que han sido propuestas a los estados. El primero, ratificación por tres cuartos de las legislaturas estatales, ha sido utilizado para 26 de las 27 enmiendas a la Constitución.

El segundo método para ratificación es a través de convenciones estatales para ratificación. A estas convenciones asisten los delegados elegidos por el pueblo con el propósito singular de decidir si ratificar o no ratificar una enmienda particular. Para ser ratificada, una propuesta enmienda necesita aprobación de tres cuartos de las convenciones estatales. Este método se ha utilizado solamente una vez, para la Enmienda 21, anulando la Enmienda 18 y Prohibición.

Muchos miembros de las legislaturas estatales todavía apoyaban la Prohibición y el Congreso pensó que anular la Prohibición podría fallar si se dejaba la decisión a las legislaturas, y por lo tanto seleccionaron el método de convención para ratificar la Enmienda 21.

¿Hay límites sobre el poder para enmendar la Constitución?

El Artículo V prohibió ciertas enmiendas a la Constitución: ***a condición***

de que antes del año de mil ochocientos ocho no podrá hacerse ninguna enmienda que modifique en cualquier forma las cláusulas primera y cuarta de la sección novena del artículo primero y de que a ningún Estado se le privará, sin su consentimiento, de la igualdad de voto en el Senado.

Se prohibieron enmiendas constitucionales para limitar el poder del Congreso para prohibir la importación de esclavos antes de 1808 y el poder de imponer impuestos directos antes del censo nacional. Esas dos provisiones expiraron y el Congreso entonces pudo prohibir la importación de esclavos e imponer impuestos directos. Aún ahora no puede haber una enmienda constitucional para reducir el voto de un Estado al Senado. Todos los estados tienen que tener dos Senadores y dos votos.

¿Es difícil enmendar la Constitución?

Sí. El proceso para lograr un consenso nacional grande para cambiar la Constitución se hizo difícil a propósito. Aunque el Artículo V provee un proceso para enmiendas, la Constitución debía tener un lugar especial dentro de las leyes americanas y no se debería poder cambiar fácilmente. Enmiendas requieren dos tercios de la Cámara de Representantes y el Senado o dos tercios de los estados proponiendo una petición. Ratificación requiere tres cuartos de los estados.

La Constitución necesita tener continuidad y no debe poderse fácilmente cambiar por una opinión pasajera. A pesar de miles de propuestas, el Congreso ha mandado solamente 33 enmiendas a los estados para ratificación, y solamente 27 han pasado. De las 27 enmiendas que han sido ratificadas, las primeras 10 conocidas como La Carta de Derechos (*Bill of Rights*) fueron ratificadas solamente cuatro años después de proponerse la Constitución. Las próximas 17 se agregaron durante un periodo de más de 200 años. La Enmienda 27, primero propuesta en 1789, tomó más de 200 años en ratificarse. Es un proceso difícil.

¿Puede la Corte Suprema cambiar la Constitución?

La Corte Suprema no puede "cambiar" la Constitución aunque a través de nuestra historia ha cambiado el significado de palabras. El proceso de enmendar del Artículo V se hizo difícil para asegurar acuerdo amplio para cambiar la Constitución. Cambios drásticos por la corte sin una verdadera enmienda puede resultar en un significante conflicto político porque es como cortocircuitar el proceso de enmendar.

La Corte Suprema ha asumido el poder de último intérprete de las palabras de la Constitución, y mantiene el poder de anular sus propias anteriores decisiones. En anularse en cuestiones constitucionales, la Corte Suprema cambia la forma en que se lee el documento y el resultado puede ser igual que una enmienda, aunque las palabras de la Constitución no hayan cambiado. Este poder no fue otorgado explícitamente en el Artículo III.

Una decisión de la Corte Suprema puede ser anulada por una enmienda constitucional. Esto ha ocurrido tres veces. Las enmiendas 11, 14 y 16 anularon decisiones de la Corte Suprema.

¿Por qué existen provisiones para cambiar la Constitución fuera del Congreso?

Los estados nunca han usado un poder otorgado a ellos para enmendar la Constitución provisto en el Artículo V. Esta provisión existe para que los estados puedan independientemente proponer y adoptar enmiendas con la participación del Congreso.

Los Artífices estaban preocupados que si el único poder para proponer enmiendas existía en el Congreso, el gobierno federal nunca haría nada que pudiera limitar su propio poder. Los redactores y ratificadores de la Constitución requirieron que el Congreso conviniera una convención si los estados así lo pidieran, y los estados podrían actuar sin la participación del Congreso.

Si dos tercios de aquellas legislaturas así lo requieren, el Congreso debe convenir una convención general, aunque no estén de acuerdo con las enmiendas propuestas, y si tres cuartos de las legislaturas estatales o convenciones aprueban dichas enmiendas, se harán parte efectiva e integrante de la Constitución, sin ninguna posible interferencia por el Congreso. Tench Coxe, 11 de junio, 1788.

Esta capacidad de los estados de efectuar cambios en la Constitución se consideraba un freno sobre el poder federal y de importancia crítica en ratificar la Constitución.

¿El proceso de enmendar está relacionado a la Declaración de Independencia?

La Declaración de Independencia declara: ***que el Pueblo tiene el derecho de cambiar o abolir cualquier otra Forma de Gobierno que tienda a destruir estos Propósitos.*** Esto significa que si el gobierno falla en su propósito de asegurar los derechos inalienables del pueblo a vida, libertad y búsqueda de la felicidad, el pueblo tiene el derecho de cambiarlo o abolirlo. Esta es una declaración del Derecho de Revolución pero con el enfoque en "cambiar" se convierte en el Derecho de Enmendar.

Una constitución sin el proceso de enmendar sería un documento que no se podría alterar. Esto dejaría al pueblo sin otro recurso que la abolición violenta del gobierno. Uno de los más importantes aspectos de la Constitución es que puede cambiarse, ampliarse o limitarse sin reemplazar el documento totalmente y sin una revolución violenta.

Esta inclusión de un proceso de enmendar revela otra conexión entre la Declaración de Independencia y la Constitución que se ignora a menudo.

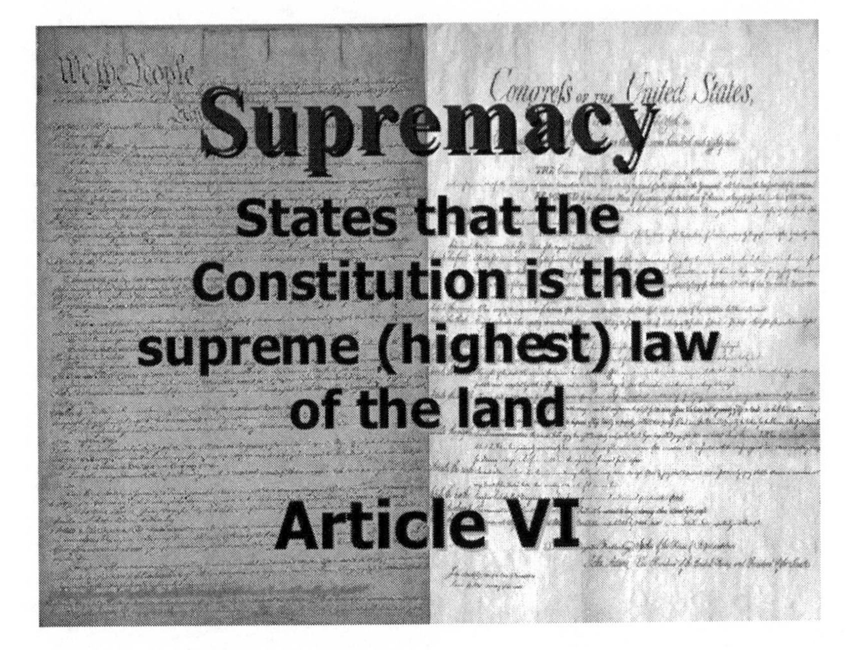
Supremacy
States that the
Constitution is the
supreme (highest) law
of the land
Article VI

Artículo VI: Deudas, Juramentos y la Cláusula de Supremacía

La Cláusula de Supremacía

> Esta Constitución, y las leyes de los Estados Unidos que se expidan con arreglo a ella, y todos los tratados celebrados o que se celebren bajo la autoridad de los Estados Unidos, serán la suprema ley del país . . . a pesar de cualquier cosa en contrario que se encuentre en la Constitución o las leyes de cualquier Estado.

Un gran fracaso de los Artículos de Confederación era la inhabilidad del Congreso de Confederación de imponer sus "resoluciones." El Congreso de Confederación en realidad no pasaba leyes, sino que las proponía a los estados. Para corregir este problema, la Constitución se convirtió en la principal ley del país, o la Ley Suprema de la Nación. Para enfatizar la supremacía de la Constitución, se les requería a todos los funcionarios de gobierno, fueran federales o locales, tomar un juramento en apoyo de la Constitución.

¿La Constitución estipuló pago de deudas contraídas por gobiernos anteriores?

Estados Unidos había pedido prestado millones de dólares para financiar la revolución y consiguió gran parte de este dinero de los holandeses y franceses. Los acreedores extranjeros necesitaban garantía que un cambio en gobierno no afectaría las deudas que se les debían. El Artículo VI de la Constitución provee esta garantía:

"Todas las deudas contraídas y los compromisos adquiridos antes

de la adopción de esta Constitución serán válidos en contra de los Estados Unidos bajo el imperio de esta Constitución, como bajo el de la Confederación."

Para que Estados Unidos pudiera ser aceptado por otros países del mundo, el nuevo gobierno tenía que ser un gobierno de alta solvencia. Este compromiso constitucional de honrar las deudas internacionales del país contribuyó a su desarrollo a llegar a ser la potencia económica más importante del mundo.

¿Qué era un juramento cuando se escribió la Constitución?
En los años de la Fundación, se entendía que la persona que hacía un juramento afirmaba dos promesas. Una era a la comunidad como miembro de un jurado, testigo u oficial. La otra era a Dios. Se creía que aunque una persona podría mentirle a la comunidad, sería menos posible que le mintiera a Dios y arriesgara la ira de Dios por toda la eternidad. Esto representaba una garantía adicional de la veracidad de la persona haciendo un juramento.

La palabra "juramento" y la frase "juro solemnemente" incluyeron la promesa a Dios. La Constitución requiere juramentos en varios lugares, sin embargo permite una afirmación en vez de un juramento. Esto puede ser por razón de que los Quakers eran importantes en la Fundación y sus objeciones tienen raíces bíblicas en Santiago 5:12: "*Pero por encima de todos, mis hermanos, no juren, ni por el cielo, ni por la tierra . . . a menos que caigan en condena.*

En tiempos modernos, aunque hemos perdido el consenso de santidad, ciertas promesas dichas en voz alta en procedimientos ceremoniales o judiciales son consideradas juramentos.

¿Según la Constitución, quién debe hacer un juramento y por qué?
Hacer o prestar un juramento era algo muy serio en el siglo 18, y los Fundadores querían crear un "gobierno nacional." La lealtad tradicional de americanos había sido a su estado. Antes de la Independencia, las personas se referían a Massachusetts o Virginia como su "país" natal. Crear lealtad a la Unión era crítico para crear una "nación."

Los requisitos de juramento de la Constitución formaron parte del propósito de crear una nación. Para apoyar la Constitución, se requerían juramentos del presidente y otros funcionarios federales, y también el Artículo VI requería juramentos de funcionarios estatales y locales:

Los Senadores y representantes ya mencionados, los miembros de las distintas legislaturas locales y todos los funcionarios ejecutivos y judiciales, tanto de los Estados Unidos como de los diversos Estados, se obligarán mediante juramento o protesta a sostener la Constitución; pero nunca se exigirá una declaración religiosa como condición para ocupar ningún empleo o mandato público de los Estados Unidos.

Todos los funcionarios del gobierno en todas partes de Estados Unidos toman un juramento y juran apoyo de la Constitución. Este acto recuerda a cada funcionario, desde el barrendero hasta el presidente, que tienen obligaciones constitucionales.

¿Qué es la Cláusula de Supremacía?

El Artículo VI de la Constitución contiene la Cláusula de Supremacía, y provee que la Constitución, leyes pasadas por el Congreso y tratados de Estados Unidos son la ley suprema del país. La Cláusula de Supremacía establece un orden de ley en Estados Unidos, que debe seguirse por todos los jueces, estatales o federales. La Constitución ordena:

Esta Constitución, y las leyes de los Estados Unidos que se expidan con arreglo a ella, y todos los tratados celebrados o que se celebren bajo la autoridad de los Estados Unidos, serán la suprema ley del país y los jueces de cada Estado estarán obligados a observarlos, a pesar de cualquier cosa en contrario.

Si el Congreso pasa una ley bajo el poder otorgado en el Artículo I, entonces la ley estatal debe concederle deferencia. Este mandato constitucional se llama preempción.

Si bien la Constitución es la Ley Suprema del País, ¿están por orden de importancia otras leyes en Estados Unidos?

La Cláusula de Supremacía de la Constitución da una lista de cuatro clases de ley en orden específico. El orden es el siguiente:

- *La Constitución* está en primer lugar y por lo tanto es suprema sobre todas otras leyes del país.
- *Leyes* aprobadas ***después*** de la Constitución están en segundo lugar. Como Alexander Hamilton escribió en Federalista No. 33, leyes no autorizadas por la Constitución: ***no sería la ley suprema del país, pero una usurpación de poder no otorgado por la Constitución.***
- *Tratados* hechos ***bajo la autoridad de Estados Unidos*** están en tercer lugar. Dado que los tratados están en tercer lugar, cualquier cambio que requieran en otras leyes, deben ser aprobadas por el Senado y la Cámara y firmadas por el Presidente.
- *Constituciones y leyes estatales* están en cuarto lugar y jueces estatales están obligados a seguir la ley federal cuando existe un conflicto entre la ley estatal y federal.

¿Hay áreas de ley cuando la ley federal no es más importante que la ley estatal?

El gobierno federal y cada uno de los cincuenta estados tienen sus propias constituciones. La Constitución de Estados Unidos y las constituciones estatales son conjuntos de reglas para gobierno que definen la organización y enumeran los poderes de gobierno, con los límites y funciones.

Por virtud de su Cláusula de Supremacía, la Constitución de Estados Unidos es la "ley suprema del país." Sin embargo, en algunos casos, por la Décima Enmienda que reserva poderes para los estados no otorgados al gobierno federal por la Constitución, las constituciones y leyes estatales tienen más fuerza y efecto en asuntos específicos. Los estados principalmente controlan asuntos de derecho criminal local, derecho de inmuebles, derecho contractual y derecho familiar. Esos son algunos de los poderes reconocidos en la Décima Enmienda reservados para el pueblo. Esta división de "jurisdicción de asuntos" entre unidades de gobierno dentro del mismo territorio es la esencia del Federalismo Americano y sirve como otra protección de la libertad del pueblo.

Artículo VII: Ratificación

Estado	Fecha	Pro	Voto en Contra
Delaware	8 de diciembre, 1787	30	9
Pennsylvania	12 de diciembre, 1787	46	23
Nueva Jersey	18 de diciembre, 1787	38	0
Georgia	2 de enero, 1788	26	0
Connecticut	9 de enero, 1788	128	40
Massachusetts	16 de febrero, 1788	187	168
Maryland	26 de abril, 1788	63	11
Carolina del Sur	23 de mayo, 1788	149	73
New Hampshire	21 de junio, 1788	57	47
Virginia	25 de junio, 1788	89	79
Nueva York	26 de julio, 1788	30	27
Carolina del Norte	21 de noviembre, 1789	194	77
Rhode Island	29 de mayo, 1790	34	32

La Constitución entró en vigor por el proceso de Ratificación. Este proceso está establecido en el Artículo VII. El proceso sirvió varios propósitos. Uno de los más importantes fue de mantener la fe con el principio de la Declaración de Independencia: obtener el consentimiento de los gobernados.

¿Mantuvo la adopción de la Constitución los valores de la Declaración de Independencia?

La Declaración de Independencia requería el "consentimiento de los gobernados" para que el gobierno fuera legítimo. Los Artículos de Confederación habían sido un acuerdo entre los estados. La Constitución sería diferente que los Artículos de Confederación. La Constitución deseó crear un gobierno establecido por el pueblo. Para ser consistente con la Declaración, la Constitución tenía que incluir un sistema para obtener el consentimiento del pueblo.

Se decidió tener convenciones estatales para ratificación como un método de informar al pueblo a través de debates acerca del propuesto nuevo gobierno y así conseguir el consentimiento del pueblo. Los partidarios y adversarios de la Constitución tendrían una oportunidad para discutir la Constitución en público.

Estas convenciones estatales tenían delegados elegidos para un propósito singular: votar sobre la Constitución. Los representantes a la convención eran elegidos específicamente para proveer el "consentimiento de los gobernados" para el propuesto nuevo gobierno. Fueron ellos los que decidieron aceptar o rechazar la Constitución. Este proceso mantuvo la fe con la Declaración de Independencia.

¿Se necesitaba ratificación unánime para que la Constitución entrara en vigor?

La Constitución solamente requirió a nueve de los trece estados para entrar en vigor en los estados que la aprobaron. El resultado de esto y las provisiones de enmienda fue un gobierno ampliamente diferente al gobierno bajo los Artículos de Confederación. Los Artículos habían requerido la aprobación de cada estado para cualquier acción.

Para formar un solo país de trece estados, ningún estado podía tener el poder de frustrar la voluntad de la Unión. El proceso de enmienda del Artículo V y las provisiones de ratificación del Artículo VIII de la Constitución no requerían el consentimiento de cada estado.

La provisión de ratificación del Artículo VII dice: *"La ratificación por las convenciones de nueve Estados bastará para que esta Constitución entre en vigor por lo que respecta a los Estados que la ratifiquen."*

Este requisito de solamente nueve de los trece estados para ratificación y tres cuartos de los estados para enmiendas significaba que cada estado cedía bastante poder. La Constitución requería que los estados miembros cedieran poder para aceptar los cambios que un estado quizás no aprobara. Esto significaba que los estados se harían una nación en vez de una alianza.

¿Cuál estado ratificó primero y cuándo se completó el proceso de ratificación?

Delaware, el 7 de diciembre de 1787, fue el primer estado en ratificar la Constitución, ganándose el apodo: "El Primer Estado." La Constitución entró en vigor cuando New Hampshire dio la novena ratificación en marzo de 1789.

La Declaración de Independencia dictó la autoridad legal de establecer la nación de Estados Unidos. La Ley Natural fue el principio organizador. Un principio central de la Ley Natural es que el pueblo consiente a límites en ciertos derechos naturales para obtener los beneficios de una sociedad civil. El proceso de ratificación del Artículo VII era para obtener el consentimiento del pueblo consistente con los principios fundadores. El consentimiento del pueblo de establecer una Constitución continuaba la adherencia a los principios de la Ley Natural dando legitimidad al gobierno.

¿La ratificación de la Constitución fue legal?

El proceso de ratificación de la Constitución llama atención a una interesante pregunta histórica legal. Los Artículos de Confederación requerían aprobación unánime para cambiar, pero la Constitución no requería unanimidad para entrar en vigor. El 21 de junio de 1788, New Hampshire se convirtió en el noveno estado en ratificar la Constitución y el documento entró en vigor según el Artículo VII.

No fue hasta la ratificación por Rhode Island el 29 de mayo de 1790 que hubo aprobación unánime de los estados requeridos para cambiar los Artículos. La Constitución, por sus términos, entró en vigor con la ratificación por New Hampshire casi dos años antes. La pregunta: ¿Hubo en Estados Unidos dos gobiernos separados durante los años entre la ratificación por New Hampshire y después por Rhode Island?

Bill of Rights
Congress of the United State
begun and held at the City of New York, on
Wednesday the fourth of March, one thousand seven hundred and eighty

La Carta de Derechos Volumen Dos (*Bill of Rights*)

Las primeras diez enmiendas se han llegado a conocer como La Carta de Derechos (*Bill of Rights*). Si bien estas enmiendas eran cambios a la original Constitución ratificada, los partidarios de la Constitución habían prometido agregar una Carta de Derechos durante los debates cuando se discutía si adoptar el documento o no. Las promesas de los partidarios se cumplieron con el Primer Congreso. Esta sección es una introducción a la Carta de Derechos en su totalidad.

¿Otorga la Carta de Derechos derechos a los americanos? La Carta de Derechos no otorga los derechos inalienables mencionados en la Declaración de Independencia. Estos derechos ya pertenecen a cada ser humano al nacer. Por otro lado, hay derechos en la Carta de Derechos que se pudieran llamar "derechos procesales." Estos derechos nacieron del deseo americano de limitar al gobierno. "Derechos procesales" son protecciones para los derechos naturales inalienables mencionados en la Declaración de Independencia.

Hay un grupo de derechos en el cual la Carta de Derechos específicamente le quita al gobierno la autoridad de interferir. Es importante que la primera frase de la Carta de Derechos sea ***El Congreso no hará ley alguna.*** Esto claramente indica límites en el poder de gobierno.

La Carta de Derechos reconoce los derechos naturales de vida, libertad y propiedad. El gobierno está específicamente limitado en áreas de religión, expresión, imprenta o derecho del pueblo a reunirse pacíficamente y el derecho de poseer y portar armas para proteger esos derechos naturales. Otros derechos, como el derecho de ser juzgado rápidamente, de mantener silencio, de tener representación de un abogado y más son protecciones procesales para nuestros derechos naturales.

¿Por qué se agregó la Carta de Derechos (*Bill of Rights*) a la Constitución?

La Convención Constitucional terminó su trabajo en septiembre de 1787. Siguió el proceso de ratificación y durante ese tiempo aumentó la oposición porque la propuesta Constitución no contenía la Carta de Derechos. Los partidarios de la Constitución prometieron agregarla después de la ratificación.

James Madison propuso 19 enmiendas al Primer Congreso. El Congreso, por resolución conjunta, mandó 12 de estas enmiendas a los estados el 25 de septiembre de 1789. El 15 de diciembre de 1791, con la ratificación por Virginia, 10 de las propuestas enmiendas se hicieron parte de la Constitución y se conocen como la Carta de Derechos.

Las dos primeras enmiendas propuestas no fueron ratificadas. Una de ellas, una enmienda que ponía límites en cuándo el Congreso podía alterar la remuneración a congresistas y Senadores, fue ratificada más de 200 años después, convirtiéndose en la Enmienda 27.

Durante los debates de ratificación, los partidarios de la Constitución y los candidatos durante las primeras elecciones del Congreso habían prometido agregar la Carta de Derechos. Los partidarios de la Constitución y los que ganaron en las primeras elecciones del Congreso cumplieron con esa promesa.

¿Cómo seleccionó James Madison las enmiendas que propuso cuando redactó una posible Carta de Derechos (*Bill of Rights*)?

La Convención Constitucional terminó su trabajo el 17 de septiembre de 1787. El Artículo VII de la Constitución estipuló que la Constitución entraría en vigor cuando nueve de los trece estados ratificaran el documento. La ratificación no estaba asegurada. Había grupos como los Federalistas que favorecían ratificación y Anti-Federalistas que oponían la Constitución.

Entre los argumentos de los Anti-Federalistas contra la Constitución estaba la falta de protecciones específicas para los ciudadanos del gobierno federal de sus más importantes derechos. Para asegurar votos para ratificación, los partidarios de la Constitución prometieron enmiendas para tratar la falta de protecciones específicas de derechos naturales.

Nueva York, Virginia y otros incluyeron recomendaciones para enmiendas a sus resoluciones de ratificación. James Madison utilizó estas recomendaciones como guía en las propuestas que él ofreció al Primer Congreso cuando éste comenzó la labor de cumplir con la promesa de agregar una Carta de Derechos.

¿Estaba el gobierno federal limitado en su conducta por la enumeración de poderes?

La Constitución de Estados Unidos otorga poderes enumerados al gobierno central. Los partidarios de la Constitución, los Federalistas, creían que una lista específica de poderes limitaba al gobierno a esos poderes. Esta idea se basa en una regla que se utiliza para interpretar documentos legales: *"la mención explícita de una cosa excluye todas otras."*

Los Anti-Federalistas no querían dejar la protección de derechos naturales inalienables a una mera expresión legal. Estas preocupaciones resultaron en las primeras diez enmiendas, la Carta de Derechos (*Bill of Rights*). Como ejemplo, la Primera Enmienda limita las acciones del gobierno federal en los asuntos relacionados a nuestros derechos naturales:

> El Congreso no hará ley alguna por la que adopte una religión como oficial del Estado o se prohíba practicarla libremente, o que coarte la libertad de palabra o de imprenta, o el derecho del pueblo para reunirse pacíficamente y para pedir al gobierno la reparación de agravios.

La Carta de Derechos fue el acto final en crear la Constitución original. Fue prometida durante el proceso de ratificación y el Primer Congreso cumplió con esa promesa.

DAVID J. SHESTOKAS

CAPSULAS INFORMATIVAS CONSTITUCIONALES

LA CARTA DE DERECHOS

VOLUMEN TRES

TRADUCCION Y CONTRIBUCION LINGUISTICA

DRA. BERTA ISABEL ARIAS

CAPSULAS INFORMATIVAS CONSTITUCIONALES

La Carta de Derechos

VOLUMEN TRES

DAVID J. SHESTOKAS

Traducción y Contribución Lingüística
Dra. Berta Isabel Arias

DEDICADO A LOS ANTI-FEDERALISTAS,
SIN CUYO COMPROMISO A LA LIBERTAD
NO HABRIA UNA CARTA DE DERECHOS,
Y A JAMES MADISON Y A LOS MIEMBROS
DEL PRIMER CONGRESO QUIENES
CUMPLIERON CON LA PROMESA DE
AGREGAR LA CARTA DE DERECHOS.

Introducción Volumen Tres

"Cada palabra de la Constitución decide una cuestión entre poder y libertad," James Madison, Padre de la Carta de Derechos (*Bill of Rights*)

Esta declaración es verdadera a través de la Constitución, pero las primeras diez enmiendas, conocidas como la Carta de Derechos, son las palabras más directamente dedicadas a limitar poder y proteger la libertad. Este tercer volumen de la serie *Cápsulas Informativas Constitucionales* (*Constitutional Sound Bites*) se enfoca en esos límites y protecciones. Igual que los dos primeros volúmenes, el *Volumen III* le ofrece al lector cápsulas informativas (*sound bites*) sobre tópicos constitucionales. Cada cápsula informativa tiene el propósito de explicar y ayudar a entender una pregunta sobre la historia, filosofía o concepto constitucional.

El libro comienza como los Volúmenes I y II, con capítulos titulados "Consideraciones Constitucionales" y "Reflexiones Sobre la Declaración de Independencia." "Consideraciones Constitucionales" da antecedentes a la historia y filosofía que facilitan comprender el resto del libro. "Reflexiones Sobre la Declaración de Independencia" enfatiza cómo la Declaración de Independencia y la Carta de Derechos están directamente conectadas. Esta conexión es clave para comprender por qué existe la Carta de Derechos.

Volúmenes I y II se concentraron en la Constitución original *antes* de las enmiendas. La Carta de Derechos, aunque clasificada correctamente como un grupo de enmiendas, fue la última parte del proceso total en la creación de la Constitución.

Después de que la nueva Constitución fue presentada para ratificación a los estados en 1787, varios estados la aprobaron sólo después de recibir garantía de que se agregaría una Carta de Derechos. Sin la promesa por 89 de los partidarios de la Constitución durante los debates de ratificación de 1787 de que se agregaría una Carta de Derechos, no tendríamos una Constitución. Para cumplir con esa promesa, el Primer Congreso organizado bajo la Constitución propuso doce enmiendas el 25 de septiembre de 1789. Ya para el 15 de diciembre de 1791, diez enmiendas habían sido ratificadas por los estados, convirtiéndose en la Carta de Derechos.

La Carta de Derechos, la cual representaba para James Madison "los más grandes derechos de la humanidad," tiene importancia fundamental. Estas enmiendas fueron adoptadas para limitar el poder del gobierno federal. Cuando la Enmienda Catorce fue adoptada después de la Guerra Civil, el poder de los gobiernos estatales también fue limitado por la Carta de Derechos. Ahora todos los gobiernos en Estados Unidos, sea el gobierno federal, estatal o local, están sujetos a la Carta de Derechos.

Una vez que la Enmienda Catorce puso límites constitucionales en los actos de gobiernos estatales ("Ningún Estado podrá hacer o ejecutar ninguna ley") otra provisión constitucional entró en juego.

La Cláusula de Supremacía en el Artículo VI resulta en que la Constitución tiene preferencia por encima de toda otra ley del país. La Cláusula de Supremacía, la Carta de Derechos y la Enmienda Catorce juntas ponen límites en cada acto de gobierno en el país. El resultado es que cuando una acción del gobierno federal, estatal o local— sea ley, regla u orden—contradice la Carta de Derechos, la Carta de Derechos gana. Esto limita el poder de gobierno y protege los derechos de americanos.

Mientras que la mayoría de funcionarios tratan de seguir la Constitución en el desempeño de sus cargos, muchos no logran hacerlo. Los fundadores americanos sabían que esto podría ocurrir y es por eso que la Carta de Derechos existe: para que los ciudadanos americanos puedan citar la Carta de Derechos y exigir que el gobierno siga la ley.

La policía puede detener a alguien sin la causa probable requerida por la Cuarta Enmienda. Un funcionario local puede negar un permiso para una manifestación política, violando las provisiones de Libre Expresión de la Primera Enmienda. Una pistola puede ser confiscada en violación de la Segunda Enmienda. Para rectificar estos males, miles de americanos presentan demandas cada año para defender sus derechos constitucionales. La única manera para un ciudadano saber si un derecho ha sido violado es saber que el derecho existe. El propósito de *Cápsulas Informativas Constitucionales* (*Constitutional Sound Bites*) *Volumen III* es ampliar ese conocimiento.

A menudo, la mejor forma de comprender un derecho es conocer la historia de cómo llego a incluirse en la Carta de Derechos, sea como reconocimiento de los derechos inalienables de la Declaración de Independencia o como un "derecho de proceso" para proveer protección para los derechos inalienables. Es por eso que muchas de las "cápsulas informativas" (*sound bites*) son breves historias de los derechos. Conocimiento de los orígenes ayuda a comprender la razón que un derecho está en la Carta de Derechos y qué debe proteger. Ese entendimiento ayuda a reconocer cuándo un derecho ha sido violado y cuándo tomar acción para protegerlo.

El mensaje aquí es uno de protección. La palabra "inalienable" literalmente significa algo que no se le puede negar a nadie. Eso no significa que el gobierno no trate de interferir con los derechos de vida, libertad y la búsqueda de felicidad de alguien. Significa que tal interferencia es ilegal. Es nuestro deber saber nuestros derechos, y no solamente defender nuestros propios derechos sino también los derechos de nuestros conciudadanos. Si se vulneran sus derechos, llegará el día cuando los nuestros estarán en peligro.

Congress of the United States

begun and held at the City of New-York, on
Wednesday the Fourth of March, one thousand seven hundred and eighty-nine

THE

RESOLVED

ARTICLES

Article the first

Article the second

Article the third

Article the fourth

Article the fifth

Article the sixth

Article the seventh

Article the eighth

Article the ninth

Article the tenth

Article the eleventh

Article the twelfth

ATTEST,

Frederick Augustus Muhlenberg Speaker of the House of Representatives.

John Adams, Vice-President of the United States, and President of the Senate

Consideraciones Constitucionales

Volumen Tres

La Constitución comienza maravillosamente con la elocuente declaración de su propósito en el Preámbulo. Después de eso, es lo que es: un documento técnico y legal. Se hace más interesante cuando se buscan los propósitos que se esperan de la separación de poderes, el Federalismo Americano o principios republicanos. Se convierte casi en un rompecabezas con pequeñas piezas que se juntan para alcanzar los propósitos del Preámbulo. Esta sección, "Consideraciones Constitucionales," analiza algunas de las piezas del rompecabezas para ayudarnos a ver cómo otros aspectos de la Constitución se unen para revelar un gobierno limitado que provee lo máximo de libertad.

¿Las Enmiendas son parte de la Constitución?

Por definición, las enmiendas son parte de la Constitución una vez ratificadas. El Artículo V provee que enmiendas correctamente adoptadas "poseerán la misma validez que si fueran parte de esta Constitución, desde todos los puntos de vista y para cualesquiera fines." En el estricto sentido legal, todas las veintisiete enmiendas son "parte" de la Constitución. Esto no explica el sentido verdadero de "La Constitución."

La Constitución sin enmienda era un esfuerzo para cumplir con la promesa y filosofía de la Declaración de Independencia y del Preámbulo de la Constitución. "La Carta de Derechos" con las enmiendas fue agregada a la Constitución para completar la definición de "América" en su fundación. La Carta de Derechos fue el paso final en el proceso original de crear América.

Enmiendas 11 a 27 tratan de diferentes asuntos en diferentes eras. Muchas, como la 12 y 25, tratan de problemas técnicos. Las Enmienda de la Guerra Civil (13, 14 y 15) resuelven un tema que los Fundadores habían evitado, la esclavitud. La Enmienda 18, con la Prohibición, limitó la libertad en contradicción a los principios fundadores. A diferencia de los hombres, no todas las enmiendas son creadas con igualdad.

¿La Constitución otorga poder al gobierno central o limita poder?

El propósito de una constitución es expresar los entendimientos compartidos de un pueblo con respecto a su gobierno en principios generales. Define poderes y establece agencias de gobierno para ejecutar y llevar a cabo los principios que describe. En definir poderes, una constitución a la vez otorga poder y pone un límite en el uso de ese poder.

La fuente principal del poder del gobierno americano viene del Artículo I de asuntos que el Congreso puede regular, llamados poderes enumerados. Es así que la Constitución otorga poder.

La Constitución limita el poder del gobierno federal de dos maneras. Un límite es la estructura original que otorgó solamente específicos poderes y ningunos más. La otra manera es por las limitaciones explícitas que se encuentran en la Carta de Derechos, que comienza: "El Congreso no hará ley alguna."

¿Por qué nos suena un poco extraño el lenguaje usado en la Declaración de Independencia, la Constitución y la Carta de Derechos?

Los Documentos Fundadores hubieran sido perfectamente comprendidos por un angloparlante común y razonablemente informado en la América del siglo 18. Los documentos explicaban ideas fundamentales al público general. Que el público general comprendía es evidente por el hecho que los americanos se unieron para apoyar la Revolución y un nuevo gobierno. El lenguaje no era extraño en la América del siglo 18.

El propósito de Thomas Jefferson con la Declaración de Independencia era explicar el "sentido común" del asunto. Las personas de este tiempo claramente comprendían no solamente las palabras, sino también las ideas ya que ellos actuaron en favor de estas ideas. El lenguaje no era extraño a ellos y las ideas no deben ser extrañas a nosotros.

La Declaración de Independencia, la Constitución y la Carta de Derechos son documentos que expresan la idea que gobiernos son creados con el deber de proteger los derechos fundamentales que toda persona tiene. Esos deberes incluyen derechos naturales que pertenecen a cada persona simplemente por ser humano. No obstante el lenguaje anticuado, las ideas han continuado a vivir a través de los siglos.

A través de la Constitución y la Carta de Derechos hay referencias a la "ley común." ¿Qué quiere decir esta frase?

En la Inglaterra medieval, la ley era simplemente la palabra del Rey, obispo o sheriff, a menudo mezclando la ley secular con la ley litúrgica tiempo atrás hasta los Diez Mandamientos. Al principio, diferentes jueces decidían asuntos con similares hechos diferentemente. En 1154, bajo el Rey Henry II, jueces comenzaron a volver a Londres para discutir casos y documentar sus decisiones. Un sistema de precedente evolucionó alrededor del concepto de *stare decisis* (latín para "mantener decisiones").

Las decisiones documentadas por los jueces se estudiaban y podían seguirse por otros jueces decidiendo casos con similares hechos a casos anteriores. Estas documentaciones de casos se convirtieron en la ley común. Las colonias americanas estaban sujetas a la ley común de Inglaterra. La ley común inglesa fue la más temprana ley para Estados Unidos. Se mantuvo en efecto como precedente, aún después de que la Constitución fue adoptada.

Reflexiones sobre la Declaración de Independencia Volumen Tres

Antes de su muerte, Thomas Jefferson dejó claras instrucciones acerca de la lápida sobre su tumba y las palabras que quería que en ella fueran inscritas:

Aquí fue sepultado
Thomas Jefferson
Autor de la Declaración de Independencia,
De la ley para libertad religiosa de Virginia
& Padre de la Universidad de Virginia

La Declaración de Independencia no sólo anunció que las colonias se separaban del Imperio Británico, sino también declaró los principios directivos de la nueva nación. No había precedente para fundar una nación basándose en una filosofía que comenzaba con "todos los hombres son creados iguales." Esta verdad "evidente por sí misma" y otras mencionadas en la Declaración se encuentran en la Constitución. La Carta de Derechos, con sus específicas protecciones de derechos inalienables, es descendiente directa de la Declaración de Independencia.

¿Cuál es la relación de la Declaración de Independencia y la Carta de Derechos?

La Declaración de Independencia nombra los "derechos inalienables" básicos de todo ser humano y la Carta de Derechos afirma que el gobierno no tiene ningún derecho legal sobre esos derechos.

Los derechos en la Primera Enmienda son ejemplos de derechos directamente relacionados a *vida, libertad y la búsqueda de felicidad.* Religión, expresión, imprenta y reunión pacífica son derechos de libertad necesarios para la búsqueda de felicidad. Una persona estaría extraordinariamente infeliz si el gobierno dictara lo que esa persona podría creer o decir, o con quién se podría asociar.

Hay correlaciones directas entre los ideales de la Declaración de Independencia y los derechos en la Carta de Derechos. La Carta de Derechos cuidadosamente no dice que el gobierno "da" estos derechos a alguien sino que el gobierno no puede interferir con los "derechos inalienables" que les pertenecen a todos.

La Declaración de Independencia enumera las denuncias coloniales contra el Rey Británico. ¿La Carta de Derechos está relacionada a estas denuncias?

La Declaración de Independencia enumera veintiocho denuncias contra el Rey George. Las denuncias comienzan con el rechazo de George en aprobar leyes pasadas por legislaturas coloniales. La última denuncia es que George se ha negado a ni siquiera escuchar una de las quejas coloniales y aún menos hacer algo para aliviarlas. La lista completa pinta a George como un tirano que destruye la libertad del pueblo. El recuerdo de esta tiranía impulsó la exigencia por la Carta de Derechos.

Provisiones en la Carta de Derechos notan cada denuncia contra el rey. La Carta de Derechos fue diseñada para evitar que el nuevo gobierno americano se comportara de la misma manera tiránica que culminó en la Revolución. Aparte de enumerar los derechos del pueblo, las primeras diez enmiendas se enfocan en limitar tiranía estatal al señalar las denuncias enumeradas en la Declaración de Independencia y al tomar precauciones para proteger al pueblo americano de tal conducta de su propio nuevo gobierno.

La Carta de Derechos Volumen Tres

A veces se refiere a James Madison como el Padre de la Constitución. Aunque él tuvo mucha influencia en la Convención Constitucional y fue un contribuidor principal a los Documentos Federalistas, es más exacto llamar a Madison el Padre de la Carta de Derechos. Madison redactó 19 enmiendas propuestas. Doce se enviaron a los estados para ratificación y 10 fueron ratificadas, convirtiéndose en la Carta de Derechos.

¿Por qué se agregó una Carta de Derechos a la Constitución de Estados Unidos?

Después que la Convención Constitucional terminó su labor el 17 de septiembre de 1787, se envió la propuesta Constitución a los estados para ratificación como provisto en el Artículo VII. La ratificación no estaba garantizada con certidumbre. Había grupos conocidos como los Federalistas que favorecían ratificación y había Anti-Federalistas que oponían la Constitución.

Los Anti-Federalistas argumentaban que la Constitución no daba protecciones específicas para los ciudadanos contra la interferencia a sus más importantes derechos naturales. La propuesta Constitución no protegía a los ciudadanos de abuso por gobierno, cual abuso ya habían sufrido los americanos a manos de los ingleses. Para asegurar votos para ratificación por encima de objeciones de una falta de fuertes protecciones para los derechos de los ciudadanos, proponentes de la Constitución prometieron enmendar el documento agregando la Carta de Derechos una vez que la Constitución fuera ratificada.

¿Protegió la Carta de Derechos a los ciudadanos de abuso de sus derechos por gobiernos estatales?

La Carta de Derechos originalmente se aplicaba solamente al gobierno federal. La Primera Enmienda demuestra esto con las iniciales palabras: "El Congreso no hará ley alguna." Las constituciones estatales tenían sus propias leyes de derechos constitucionales, y si los ciudadanos iban a tener protecciones contra abusos por gobiernos estatales tenían que encontrar las protecciones en sus propias cortes y constituciones.

La Declaración de Derechos de 1776 de Virginia redactada por George Mason sirvió como ejemplo para muchas leyes de derechos estatales y federales. En 1868 la Enmienda Catorce requirió que los estados fueran gobernados por mucho de lo contenido en la Carta de Derechos federal. La Enmienda Catorce claramente limita acciones por gobiernos estatales. Comienza: "Ningún estado podrá dictar ni dar efecto a cualquier ley."

La Enmienda Catorce requiere que los estados sigan "el debido proceso legal" y la Carta de Derechos federal se considera un elemento principal a este necesario "debido proceso" para proteger nuestras libertades a cada nivel de gobierno.

¿Protege la Carta de Derechos su lista de derechos de infracción en todos los niveles de gobierno?

La Primera Enmienda originalmente aplicaba solamente al gobierno federal. Con la Enmienda Catorce de 1868, la Carta de Derechos incluyendo la Primera Enmienda limitó también las acciones por gobiernos estatales. La Enmienda Catorce exige que ningún estado prive a una persona ni de "debido proceso" ni de "protección igual" de la ley.

Con el tiempo, estas provisiones de la Enmienda Catorce se han interpretado a decir que la mayoría de la Carta de Derechos se aplica directamente a las acciones de gobiernos estatales. Un ejemplo de esto se encuentra en las provisiones de la Primera Enmienda en cuanto a la religión. En 1940, la Corte Suprema aplicó la Cláusula de Práctica Libre a los estados y en 1947 aplicó la Cláusula de Establecimiento.

Gobiernos locales como, por ejemplo, juntas directivas escolares, ciudades, condados, y municipios son creados por ley estatal. Una vez que la Carta de Derechos se convirtió en una restricción en las acciones por gobiernos estatales, automáticamente se convirtió también en una restricción en las acciones por gobiernos locales.

¿Por qué hay diez enmiendas en la Carta de Derechos?

Las propuestas de James Madison para la Carta de Derechos en el Primer Congreso eran una respuesta a los adversarios de la Constitución, los Anti-Federalistas, quienes argumentaban contra la Constitución porque carecía de protecciones para la básica libertad humana. Madison propuso diecinueve enmiendas al Congreso. Doce fueron aprobadas por el Congreso y fueron enviadas a los estados para ratificación.

De los doce artículos, sólo diez fueron rápidamente ratificados y se convirtieron en las Enmiendas Primera a Décima. Uno de los dos artículos no aprobados, el cual trataba del número y prorrateo de representantes estadounidenses, nunca ha sido aprobado. El otro artículo, limitando la habilidad del Congreso de aumentar la remuneración de sus miembros, se convirtió en la Enmienda 27 doscientos años después. Aunque los dos artículos fueron propuestos como parte de la original Carta de Derechos, ninguno de los dos incluía un derecho del pueblo o de los estados. A pesar de que había doce originales propuestas, la frase "Carta de Derechos" ha llegado a significar solamente las diez enmiendas ratificadas en 1791.

The First Amendment

Congress shall make no law respecting
an establishment of religion, or prohibiting
the free exercise thereof; or abridging the
freedom of speech, or of the press; or the right
of the people peaceably to assemble, and to petition
the Government for a redress of grievances.

La Primera Enmienda

> El Congreso no promulgará ley alguna por la que adopte una religión de Estado, o que prohíba el libre ejercicio de la misma, o que restrinja la libertad de expresión o de prensa, o el derecho del pueblo a reunirse pacíficamente y a solicitar al Gobierno la reparación de agravios.

¿Cuántos derechos se mencionan en la Primera Enmienda y cuáles son?

Recordando esto lo convertirá a usted en uno entre mil americanos que puede, en primer lugar, afirmar que hay cinco derechos en la Primera Enmienda, y en segundo lugar, que puede nombrar los siguientes derechos:

- Libertad de religión;
- Libertad de expresión;
- Libertad de imprenta;
- Libertad de reunión pacífica;
- Libertad para pedir reparación de agravios.

El tono para la Carta de Derechos se declara en las primeras palabras de la Primera Enmienda: El Congreso no hará ley alguna. Pase un momento reflexionando en estas palabras. *El gobierno no puede pasar una ley.*

Los límites de la Primera Enmienda en acción gubernamental es esas cinco áreas le dan a los americanos la más amplia libertad de expresión en el mundo entero. Estas libertades no son otorgadas por la Constitución, son simplemente reconocidas.

Los derechos le pertenecen a todos como parte de la Ley Natural como reconocida por la Declaración de Independencia con la frase: "la Ley de la Naturaleza y de la Naturaleza Divina."

¿Cuál es el primer derecho abordado en la Primera Enmienda?

Libertad de religión es el primer derecho mencionado en la Primera Enmienda. La Constitución logra afirmaciones tanto con su estructura como con sus palabras. El Congreso está definido en el Artículo I porque los Fundadores lo consideraron primero entre iguales. La importancia de libertad de religión se aprecia en su posición como el primer derecho de la Primera Enmienda.

La Primera Enmienda tiene dos cláusulas de libertad de religión, La Cláusula de Establecimiento y la Cláusula del Práctica Libre. La Cláusula de Establecimiento prohíbe la aprobación del gobierno de una religión específica. La Cláusula de Práctica Libre prohíbe al gobierno de interferir con la práctica de religión.

Esto distingue a Estados Unidos de muchas naciones alrededor del mundo. Inglaterra tiene una religión oficial (anglicana). Otros países están fundados en una religión específica (teocracia musulmana). Muchos países comunistas como la China y Cuba restringen severamente la práctica de cualquier forma de religión.

¿Por qué es apropiado que la libertad de religión sea el Primer Derecho?

El Primer Derecho reconocido en la Primera Enmienda es Libertad de religión. En el siglo 17, persecución religiosa europea nació de la creencia, por los protestantes y católicos, que una sociedad necesita uniformidad religiosa ya que ellos creían que había una sola religión verdadera. Autoridades civiles tenían el deber de imponer una sola religión verdadera, por fuerza si necesario, para salvar las almas de los ciudadanos. Heréticos podrían ser ejecutados y a los inconformistas no se les concedía merced.

La persecución religiosa impulsó a muchos a emigrar de Europa a Norte América. En el siglo 17, el monarca inglés encabezaba la Iglesia de Inglaterra del gobierno. Muchos no estaban de acuerdo con las prácticas religiosas reales, y sufrieron pena corporal, encarcelamiento y pérdida de propiedad como resultado de mantener firme sus convicciones religiosas.

Es apropiado que la protección de libertad de religión de interferencia del gobierno es la "primera libertad" de América. Muchos de los primeros colonos de Norte América fueron motivados por la búsqueda de esta libertad de religión.

¿Qué es el "establecimiento" de religión?

La Cláusula de Establecimiento prohíbe al gobierno federal de proclamar o financiar el apoyo de una religión nacional. Una reconocida religión nacional era común en muchos otros países en la época de la fundación de la nación. La Primera Enmienda restringió la participación del gobierno FEDERAL en religión. Cuando la Constitución fue adoptada, todos los trece estados dieron algún tipo de apoyo gubernamental estatal para religión. El apoyo varió de beneficios en impuestos a requisitos de religiosos para poder votar o servir en la legislatura. Ocho estados tenían "religiones oficiales."

Es menos claro si la Cláusula de Establecimiento también impide al gobierno federal de apoyar cristiandad en general. El Primer Congreso que propuso la Carta de Derechos comenzó la tradición de comenzar sus sesiones con una oración. Ese Primer Congreso también votó usar dólares federales para establecer misiones cristianas en las islas indias. Los escritos por Thomas Jefferson y James Madison sugieren la necesidad de establecer "una muralla de separación" entre la iglesia y el estado, poniendo un significado mucho más amplio en la Cláusula de Establecimiento que aquél exhibido por la conducta del Primer Congreso.

¿Qué es la "práctica libre" de religión?

La frase "libertad de religión" abarca los conceptos generales de religión de la Primera Enmienda. Libertad de religión es más que simplemente poder asistir a la iglesia de nuestra selección. Es nuestro derecho de vivir la vida de manera consistente con nuestro código moral sin interferencia gubernamental.

Esa es la esencia de la "práctica libre" de religión. Como resultado, todos pueden escoger una religión o manera de adoración según su conciencia individual sin restricciones. "Práctica libre" significa que a menos que haya una razón importante, el gobierno no puede forzar al pueblo a violar sus convicciones religiosas. Es por eso, por ejemplo, que hay excepciones al servicio militar para objetores de conciencia o la razón por la cual en algunas iglesias tradicionales de nativo-americanos se les permite utilizar peyote como un sacramento.

Solamente dando el nombre, religión, a una práctica particular automáticamente no provee excepciones a cualquier ley, pero si una persona tiene una creencia profunda, gracias a la Cláusula de Práctica Libre, el gobierno necesita tener una razón importante para requerir violación de esa creencia.

¿La idea de tolerancia religiosa comenzó con aquéllos que vinieron a Norte América para evitar persecución?

Los Pilgrims son los mejores conocidos que escaparon persecución religiosa inglesa. Primero fueron a Holanda en 1608. Los Pilgrims salieron de Holanda porque había demasiada libertad. Temían que sus hijos serían corruptos por la tolerancia religiosa de los Países Bajos.

En 1620, decidieron partir para Norte América donde podrían practicar su propia "una y verdadera religión." Una vez establecidos en su propia colonia, los Pilgrims impusieron sus propias creencias religiosas y desterraron a los inconformistas de su comunidad.

Aunque los Pilgrims y otras sectas abandonaron Inglaterra (y otros países europeos) para escapar persecución religiosa, trajeron consigo su creencia que el gobierno tenía la responsabilidad de imponer pureza de religión. Ya para 1702, todas las trece colonias proveían alguna forma de apoyo estatal para religión. La evolución hacia la libertad de religión de la Primera Enmienda fue lenta. Interesantemente, el escapar intolerancia no resultó automáticamente en tolerancia.

¿Existía una larga historia de libertad religiosa en los estados cuando se escribió la Constitución?

Compromiso a libertad y gobierno autónomo aumentó entre los líderes del Nuevo Mundo, pero participación gubernamental en religión continuó siendo la regla en vez de la excepción. En 1779, tres años después de escribir la Declaración de Independencia, Thomas

Jefferson, como gobernador de Virginia, redactó el Acto de Virginia para Establecer Libertad de Religión para terminar el uso de fondos provenientes de impuestos para apoyar religión en Virginia. No se convirtió en ley mientras que Jefferson fue gobernador.

En 1784, Patrick Henry, el gobernador de Virginia ("Dadme la libertad o dadme la muerte"), introdujo un proyecto de ley que pedía dinero para apoyar a "maestros que practicaban la religión cristiana." El proyecto de ley de Henry mantenía el apoyo gubernamental tradicional de religión al contrario de la propuesta de Jefferson de 1779. Ciento veinticuatro años después que los Pilgrims llegaron para establecer su propia libertad religiosa, participación directa del gobierno en religión continuaba parte del panorama americano.

La Constitución fue escrita en 1787 y las cláusulas de libertad de religión se agregaron en 1791. Estas cláusulas no fueron aplicadas a gobiernos estatales oficialmente hasta 1940. La evolución hacia libertad de religión por todos Estados Unidos fue un proceso que tomó más de 200 años.

¿Presenta "apoyo" gubernamental de religión en realidad un peligro a la libertad de religión?

El camino a libertad de religión fue un camino largo y difícil. En 1784, Patrick Henry, el gobernador de Virginia, propuso un impuesto para apoyar a maestros cristianos. La respuesta de James Madison dio la fundación para una temprana separación de iglesia y estado y para las garantías de libertad de religión de la Primera Enmienda.

Madison opuso el impuesto propuesto por Henry. La oposición exitosa de Madison llamó atención al derecho natural del ser humano a creencias religiosas:

> "la Religión, entonces, de cada hombre debe dejarse a la convicción y conciencia de cada hombre, y a ejercerla como así la comprendan. La esencia de este derecho es un derecho inalienable."

Y el peligro a libertad de religión con la participación gubernamental:

> "que la misma autoridad que puede establecer cristiandad, en exclusión de todas otras Religiones, puede establecer cualquier otra secta de Cristianos con la misma facilidad, en exclusión de todas otras sectas."

Debido a los argumentos de Madison, la propuesta ley por Henry pidiendo apoyo financiero de instrucción cristiana fue rechazada. También creó el ambiente positivo para las garantías de libertad de religión de la Primera Enmienda siete años después.

¿Requiere la Primera Enmienda una "muralla de separación" entre la iglesia y el estado?

En 1791, las protecciones de libertad de religión de la Primera Enmienda del nuevo gobierno federal se convirtieron en la ley del país con dos cláusulas: la "Cláusula de Establecimiento" y la "Cláusula de Práctica Libre" —

> "El Congreso no hará ley alguna por la que adopte una religión como oficial del Estado o se prohíba practicarla libremente."

La idea de una muralla entre la iglesia y el estado no se encuentra en la Primera Enmienda. La "muralla de separación" se encuentra en una carta que Thomas Jefferson escribió en 1802 mientras era presidente, once años después de la ratificación de la Primera Enmienda.

> "Yo contemplo con reverencia soberana ese acto del pueblo americano entero que declaró que su legislatura no debería 'hacer ninguna ley que adopte una religión oficial del Estado o prohíba practicarla libremente,' así creando una muralla de separación entre la iglesia y el Estado."

¿La Cláusula de Libertad de Expresión solamente protege las palabras?

La Cláusula de Libertad de Expresión de la Primera Enmienda prohíbe al Congreso de limitar la manera en que un individuo se expresa. Esto no solamente se aplica a la palabra escrita y oral, sino también a expresiones simbólicas tal como arte y música. Libertad de Expresión incluye expresiones demostrativas de ideas como brazaletes simbólicos para protestar una guerra o el quemar la bandera estadounidense como forma de protesta política.

Libertad de Expresión tiene limitaciones. El gobierno no puede limitar palabras de pensamientos e ideas políticas, pero la Primera Enmienda constitucionalmente no protege toda palabra.

El mejor ejemplo de palabra no protegida es falsamente gritar "fuego" en un teatro lleno de personas. El gobierno también puede castigar palabra falsa definida como difamación o calumnia. Generalmente, el gobierno no puede restringir palabra que sea veraz o exprese una opinión personal.

¿Cuál es el papel de la Ley Natural en el reconocimiento del derecho de Libertad de Expresión?

El concepto americano de libertad de expresión surgió de la unión de la Ley Natural, soberanía personal, la necesidad de libertad de expresión y debate abierto en el Congreso y el derecho de servir en el Congreso. Cuando se agregó, el mandato de Libertad de Expresión de la Primera Enmienda - "El Congreso no hará ley . . . que coarte la libertad de palabra" - era completamente diferente a cualquier otra restricción en gobierno en toda la historia del mundo.

A través de la historia, el derecho de criticar al gobierno ha sido exclusivo a aquéllos en los altos niveles de la sociedad. Senadores romanos y miembros ingleses del Parlamento podían hablar libremente. Pocos otros tenían permiso para esto. En la nueva república americana, esto no existiría porque habría libertad de expresión para todos.

Referencias en la Declaración de Independencia a la Ley de la Naturaleza y a la Ley Divina demuestran la importancia de la teoría de la Ley Natural en los orígenes de Estados Unidos. Soberanía personal es un componente de la Ley Natural. Esta soberanía es fundamental a la legitimidad de Estados Unidos y, a fin de cuenta, al derecho de libertad de expresión. En la fundación de América, la idea de libertad de expresión para el pueblo en general era una idea radical.

¿La Libertad de Imprenta se aplica solamente a diarios?

Cuando la Carta de Derechos fue ratificada, la imprenta se refería al periódico y libros. Así fue por casi 100 años hasta que la población general consiguió fácil acceso a la comunicación electrónica. La idea de Libertad de Imprenta cambió con la evolución de métodos de comunicación y demuestra la aplicación de los principios constitucionales que tienen más de 200 años a un mundo cambiante.

Libertad de Imprenta cubre radio, televisión e internet. Esto no ha sido sin controversia. Conceptos como la "Doctrina de Imparcialidad" siguen debatiéndose sobre la regulación gubernamental de televisión y radio. Propuestas en el Congreso sobre regulación del internet ponen innovación tecnológica en conflicto con los principios de Libertad de Expresión.

La Cláusula de Libertad de Imprenta de la Primera Enmienda ha resultado en importantes conceptos que incluyen el privilegio de un reportero de proteger sus fuentes y límites en el gobierno de regular información antes de publicación, prohibiendo "restricción previa."

¿Cómo fue el desarrollo americano de "libertad de imprenta" revolucionario en la historia humana?

El concepto americano excepcional que libertad de imprenta era un elemento necesario de gobierno representativo no vino de la tradición inglesa. Había una larga historia de concesión de licencias a la prensa en Inglaterra por reyes y después por el Parlamento. Antes de la fundación de América, era necesario primero obtener el permiso de gobierno antes de publicar un periódico.

Aparte de leyes de concesión de licencias que le otorgaba al gobierno inglés control sobre quién podía operar una imprenta, también existía el crimen bajo la ley común de calumnia sediciosa. Calumnia sediciosa era cualquier texto impreso que "pone odio o desprecio" en el monarca o su familia o el gobierno. La posible pena por imprimir tal información era cadena perpetua.

Los controles ingleses sobre la prensa no eran consistentes con los derechos americanos que se estaban desarrollando. La idea que entidades privadas podían publicar información sin interferencia por el gobierno era verdaderamente revolucionario.

¿Cómo se desarrolló el derecho de pedir reparación de agravios en la América colonial?

El Derecho de Pedir Reparación era central a la ley constitucional y a la política en los primeros años de Estados Unidos. Es el colofón de la Primera Enmienda, y sin embargo el Derecho de Petición de Reparación no es conocido por la mayoría de americanos. Cuando se conoce, se considera una extensión de los primeros cuatro derechos y no un derecho que existe de por sí. La razón es que tampoco se conoce su historia.

En las colonias americanas, el derecho de pedir reparación era el acto de presentar agravios a asambleas legislativas locales. Ya para el principio del siglo 18, los americanos habían presentado una gran variedad de peticiones a elegidas cámaras de asamblea locales. El derecho de pedir reparación incluía el derecho de consideración. Peticiones coloniales abarcaban una amplia variedad de asuntos incluyendo religión y la iglesia establecida, esclavitud, deuda (pública y privada), impuestos, divorcio, apelaciones de decisiones jurídicas, naturalización y más.

Las peticiones se presentaban por hombres, mujeres, niños y esclavos. Los funcionarios elegidos en las colonias comprendían su deber de considerar las peticiones de todas personas. Esto representa lo que era el derecho de pedir reparación cuando se redactó la Declaración de Independencia.

¿Las colonias le habían pedido al Rey George de reparar agravios antes de declarar independencia?

El Congreso Constitucional había enviado múltiples mensajes al Rey George con sus quejas acerca de la privación de derechos y libertades. La respuesta del Rey a los agravios coloniales era una de las denuncias enumeradas en la Declaración de Independencia.

En cada etapa de estas Opresiones, nosotros hemos Solicitado Compensación en los Términos más humildes: Nuestras repetidas

Peticiones sólo han sido respondidas con más Injurias. Un Príncipe, cuyo Carácter está por tanto marcado por cada uno de los actos que definirían a un Tirano, es incapaz de ser el Soberano de un Pueblo libre. Esta experiencia resultó en incluir el derecho de pedir reparación de agravios en la Primera Enmienda. En gran parte ignorada, los americanos han permitido que esta garantía no se utilice, algo que no debe ocurrir con ninguna palabra de la Constitución.

¿Qué ha cambiado en el Derecho de Pedir Reparación de Agravios?

Como advertencia de lo que ocurre cuando las personas no estudian o ejercen sus derechos, el Derecho de Pedir Reparación, con el derecho implicado que la petición debe ser considerada seriamente, ha desaparecido. Las personas pueden escribir cartas a sus representantes y pueden comunicar en otras formas, pero la obligación del gobierno de verdaderamente responder como se describe en la adoptada Primera Enmienda ya no se reconoce.

Esto comenzó poco antes de la Guerra Civil cuando el Congreso fue inundado con peticiones para abolir la esclavitud. Hasta pocos años antes de la Guerra Civil, el Congreso con frecuencia consideraba peticiones de conformidad con la Cláusula de Petición. El aumento en peticiones respecto a esclavitud era embarazoso para los estados del sur y la Cámara de Representantes adoptó la Ley Mordaza. Aunque más tarde fue rescindida, el planteamiento del Congreso a peticiones cambió. Nunca se ha recuperado y, a pesar de la provisión de la Primera Enmienda, las personas ya no tienen el derecho de que sus representantes consideren sus peticiones. Un derecho que no se ejerce se perderá. La pérdida del "Derecho de Pedir Reparación de Agravios" debe ser una advertencia que hay que defender todos los derechos.

La Segunda Enmienda:

El Derecho de Portar Armas

Por ser necesaria para la seguridad de un Estado libre una milicia bien regulada, no se restringirá el derecho del pueblo a poseer y portar armas.

¿Qué significa una "milicia bien ordenada"?

Una milicia consistía en ciudadanos varones que podían agruparse para proteger a la comunidad de amenazas. Estas amenazas podían venir del exterior, bandidos o, en aquellos tiempos, de los indios. Muchas leyes locales requerían que los ciudadanos poseyeran un arma y estuvieran disponibles para enfrentar amenazas de la comunidad. Fueron las milicias locales de Lexington y Concord Massachusetts que confrontaron el ejército británico en el primer conflicto armado de la Revolución.

La milicia era el "ejército" local de ciudadanos que protegía la seguridad de la comunidad.

La provisión de milicia de la Segunda Enmienda protegía el derecho del pueblo de mantener una milicia bien ordenada. Como muchas provisiones de la Carta de Derechos, respondía a inquietudes mencionadas durante los debates de ratificación. La preocupación particular era que el Congreso podría atentar desactivar milicias estatales y reemplazarlas con un ejército nacional permanente.

La memoria de la necesidad de responder con armas a un gobierno tiránico lejano todavía vivía en sus recuerdos.

¿Le pertenece el derecho de portar armas a un individuo o está conectado con servicio de "milicia"?

Ha habido dos interpretaciones principales de la Segunda Enmienda. Una opinión es que protege los derechos de individuos de poseer armas con limitadas restricciones del gobierno. La otra teoría es que la Segunda Enmienda significa que la posesión de armas debe protegerse por la defensa colectiva de la comunidad y que regulación estricta de posesión privada es constitucional.

Partidarios de leyes de control estricto de armas afirman que la frase "milicia bien ordenada" significa que la protección constitucional de posesión de armas está limitada a milicias según se entendía a fin del siglo 18.

El mundo tal como existía en 1791 era muy diferente que el mundo hoy día. No había agencias policiales bien organizadas. Defensa propia y protección personal eran la norma. Muchas personas dependían de la cacería para alimentar a sus familias. Posesión personal de armas era una necesidad práctica. Esta historia lleva a muchos a creer que el significado de "no se violará el derecho del pueblo a poseer y portar armas" indica un derecho a poseer armas personales.

Este debate se discutió furiosamente por muchos años entre los partidarios de fuertes controles de armas y aquéllos que favorecen regulación limitada.

¿Por qué hay un derecho de portar armas?

Desde 1791 hasta recientemente, la Corte Suprema no decía mucho acerca de la Segunda Enmienda. Solamente hubo un caso significante: Estados Unidos v. Miller, decidido en 1939. Entonces en 2008, Distrito de Colombia v. Heller fue decidido y el debate terminó.

> Nos parece sin duda alguna, basándose ambos en texto e historia, que la Segunda Enmienda confiere un derecho individual a poseer y portar armas. Juez Antonin Scalia.

La Corte Suprema resolvió el debate en Heller a favor de un derecho personal natural. La resolución de la Corte trazó el derecho individual a portar armas al derecho natural de defensa propia.

El primer derecho natural inalienable es a la vida. La extensión natural del derecho a vida es el derecho de defensa propia. Cuando se fundó América, Sir William Blackstone era bien conocido en las colonias americanas. El describió los más importantes derechos como: "el derecho natural de resistencia y preservación propia," y "el derecho de poseer y usar armas para preservación propia y defensa."

En definitiva: "El derecho a defensa propia es la primer ley de la naturaleza."

NO!

La Tercera Enmienda: Se Prohíbe Alojar a Soldados

> En tiempo de paz no se alojará a ningún soldado en casa alguna sin el consentimiento del propietario, ni en tiempo de guerra salvo del modo que prescriba la ley.

La Tercera Enmienda de la Constitución nunca ha sido la ley vigente en ningún caso decido por la Corte Suprema estadounidense, y ha sido de importancia crítica en solamente un caso de apelación en la historia del país. A menudo es ignorada y de algunas maneras es considerada no funcional por haber sido una respuesta a una práctica militar arcaica. Ha surgido de nuevo en el siglo 21 en otras formas porque, al igual que toda otra provisión de la Constitución, decide la cuestión entre poder y libertad.

¿Por qué sintieron los Fundadores la necesidad para una prohibición constitucional sobre soldados de gobierno en casas particulares?

La Tercera Enmienda, como muchas otras provisiones de la Carta de Derechos respondió a quejas coloniales contra el Rey George. La Declaración de Independencia enumeró 28 denuncias contra el Rey, entre ellas: acuartelar numerosos Contingentes de Tropas Armadas entre nosotros. En 1765 y 1774 el Parlamento pasó leyes requiriendo que los colonos americanos alojaran y alimentaran a soldados británicos. El Acto de Alojamiento de 1774 era uno de los Actos Intolerables que encuadró la Revolución Americana.

En 1765, el Parlamento ordenó que los soldados británicos en las colonias debieran ser alojados en cuarteles, casas públicas, propiedad comercial privada y casas deshabitadas. El Acto de Alojamiento de 1774 agregó al acto de 1765 que los colonos también debían a alojar tropas en casas privadas.

Dueños de propiedad no recibían compensación y de hecho, eran ordenados a proveer a los soldados con necesidades como alimento, licor, sal y cama, también sin compensación. Era imprescindible asegurar que el nuevo gobierno no pudiera hacer esto a los ciudadanos americanos.

¿Qué famosa frase está asociada con la Tercera Enmienda?

La Tercera Enmienda representa una proposición que había sido fundamental para los ingleses libres por lo menos desde el siglo 16, mejor expresada por Sir Edward Coke en 1628: "Pues la casa de un hombre es su castillo, et *domus sus cuique*." Coke expresó un principio que había sido ignorado por los británicos en las colonias. Esta frase estaba viva en la memoria de la generación fundadora y la respuesta fue la Tercera Enmienda.

La objeción colonial a tener soldados en sus casas no fue olvidada cuando la Revolución terminó y cuando se propuso la Constitución. Durante los debates de ratificación de 1788 a 1789, había una preocupación que la propuesta Constitución no contenía protecciones específicas para los ciudadanos del abuso de gobierno. La Enmienda Tercera puede trazarse a la frase, "La casa de un hombre es su castillo," y el abuso de este principio por los británicos.

¿Cuándo existieron las peores violaciones de la Tercera Enmienda?

Durante los debates del Congreso acerca de las primeras enmiendas constitucionales en 1789, los pensamientos del Representante Thomas Sumter de Sur Carolina fueron documentados en los procedimientos oficiales: "El Señor Sumter esperó que soldados nunca fueran alojados con los habitantes, ni en tiempo de paz ni de guerra, sin el consentimiento del dueño," porque de otra forma, "su propiedad estaría a la merced de hombres irritados por un rechazo, y listos para destruir la paz de la familia."

Violaciones de la Tercera Enmienda ocurrieron durante la Guerra Civil Americana. Alojamiento forzado de soldados de la Unión ocurrió "de manera" que no era "establecida por ley" y sin el "consentimiento del dueño." Nunca se pasó una declaración de guerra del Congreso contra los Estados Confederados y el Congreso nunca pasó una ley autorizando alojamiento. Esto significa que el alojamiento forzado en estados leales a la Unión violó las provisiones de la Tercera Enmienda.

El 2 de abril de 1861, el ataque contra el Fuerte Sumter (*Fort Sumter*) comenzó la Guerra Civil. Durante la Guerra, a pesar de la Tercera Enmienda, las advertencias del Representante Sumter en 1789, de donde proviene el nombre del fuerte, se hicieron realidad.

¿La Corte Suprema se ha apoyado en la Tercera Enmienda para garantizar otros derechos?

La Corte Suprema ha considerado que la filosofía de privacidad personal de la Tercera Enmienda da expresión al establecimiento en la Constitución de gobierno limitado y los derechos no-enumerados de la Novena Enmienda. La Tercera Enmienda explica lo que es público y lo que es privado y expresa el sentido fundamental de privacidad de los Fundadores de América.

La Tercera Enmienda fue una de las provisiones fundadoras utilizada para definir el derecho de privacidad en *Griswold v. Connecticut.* El caso de 1965 anuló una ley de Connecticut restringiendo la distribución y el uso de contraceptivos diciendo que la Tercera Enmienda agregó el derecho de privacidad a la Constitución.

El Juez Story de la Corte Suprema mejor explica el valor de la Tercera Enmienda en su *Comentarios sobre la Constitución:* "Esta Provisión habla por sí misma. Su propósito sencillo es asegurar el perfecto placer de ese gran derecho de la ley común, que la casa de un hombre será su propio castillo, protegida contra toda intrusión civil y militar." La Tercera Enmienda expresó repugnancia contra una práctica militar británica y resultó en un principio, el derecho a privacidad doméstica, de relevancia en el siglo 21.

¿Hay más aplicaciones de la Tercera Enmienda en el siglo 21?

Cuando se ratificó la Tercera Enmienda, las imágenes y recuerdos de las tropas británicas en tiendas y casas en Boston y en otras ciudades estaban todavía presentes en las mentes de los americanos, y los conflictos con colonos que culminaron en la guerra aún evocaban fuertes emociones.

Lo que no existía en ese tiempo era una "fuerza policial" con uniforme y con armas. Ese desarrollo estaba en un futuro lejano. Sin embargo, la Tercera Enmienda expresa una filosofía utilizada para definir un "derecho de privacidad" del gobierno. Significa que se les prohíbe a hombres armados del gobierno de comandar una casa. Al mismo tiempo que la fuerza policial moderna se ha convertido más "militarizada," hay una creencia que la Tercera Enmienda aplica a ese elemento de gobierno aunque la "policía" no son soldados en el sentido tradicional.

La Tercera Enmienda no es un apéndice inútil de la Constitución. La Tercera Enmienda sí decidió una cuestión entre poder y libertad. Es peligroso a la libertad ignorar cualquier parte del documento.

The 4th Amendment

The right of the people to be secure in their persons, houses, papers, and effects, against unreasonable searches and seizures, shall not be violated, and no warrants shall issue, but upon probable cause, supported by oath or affirmation, and particularly describing the place to be searched, and the persons or things to be seized.

La Cuarta Enmienda

> No se infringirá el derecho del pueblo a que sus personas, domicilios, papeles y efectos estén protegidos contra los registros y las incautaciones irrazonables, y no se expedirán a ese fin órdenes que no se justifiquen por un motivo verosímil, que estén corroboradas por juramento o afirmación, y en las que se describa específicamente el lugar que deba registrarse y las personas o los objetos que han de aprehenderse.

¿Qué era una "orden de asistencia" y cómo culminó en la Cuarta Enmienda?

Una "orden de asistencia" era un tipo particular de "orden general" usada por los británicos para hacer un registro de propiedad colonial antes de la Revolución. La Cuarta Enmienda respondió a las "órdenes generales" del Rey George que no respetaban la santidad de propiedad privada. La Cuarta Enmienda, como la Tercera Enmienda, se basa en la tradición inglesa de la santidad de la casa propia de una persona.

Las "órdenes generales" del rey no definían el lugar de registro ni las cosas que se buscaban. Una orden general estaba en vigor por toda la vida del rey más seis meses. Un agente del rey con una orden general tenía poder casi sin límite de hacer registro en cualquier lugar.

En 1760 las propiedades de los comerciantes de Boston eran las más frecuentes víctimas de registros de "órdenes de asistencia." Ellos resistieron las órdenes en las cortes coloniales y perdieron. Los casos culminaron no sólo en la Cuarta Enmienda, sino también en la Revolución Americana.

Las lecciones que se pueden aprender del abuso británico de órdenes generales resultó en la prohibición sobre "órdenes generales" al requerir causa probable y detalles del lugar para el registro y la persona o cosas que se buscaban.

¿Cuál derecho inalienable de la Declaración de Independencia es protegido por la Cuarta Enmienda?

La Cuarta Enmienda protege el derecho inalienable de libertad notado en la Declaración de Independencia. Cualquier aprehensión o interferencia con la libertad de un ciudadano por un oficial de policía, no obstante cuán breve, es una aprehensión según la Cuarta Enmienda.

Una persona está arrestada o aprehendida cuando la policía detiene a esa persona de manera que la persona no puede irse libremente. Una detención de tráfico es un arresto. Cuando en un encuentro con la policía una persona razonable no se siente libre para irse, existe un arresto. En esas circunstancias para que la detención sea legal, debe existir o una orden o causa probable. Este requisito es una protección para nuestra libertad.

¿Qué es una orden judicial y cómo la consigue la policía?

Una orden judicial es un documento firmado por un juez autorizando a la policía u otro agente de efectuar una detención, registrar lugares o establecimientos relacionados a la administración de justicia.

A menos que alguna excepción específica se pueda aplicar, la Cuarta Enmienda requiere que registros, confiscaciones y detenciones se lleven a cabo de conformidad con la ejecución legal de una orden judicial.

Una petición para una orden judicial tiene que contener una detallada declaración jurada por un agente de policía delante de un juez neutral. La detallada declaración explica al juez la razón que existe causa probable para hacer un registro o detención. El agente pidiendo la orden debe jurar que está plenamente convencido que los hechos en la petición son correctos.

La Cuarta Enmienda también requiere que una orden judicial "específicamente" describa a la persona o lugar del registro o confiscación. Ordenes judiciales deben dar suficiente detalle para que un agente con la orden judicial pueda identificar a la persona y lugares identificados en la orden.

¿Puede un policía arrestar a alguien o llevar a cabo un registro sin una orden?

Cuando la Cuarta Enmienda fue adoptada, arrestos sin órdenes se permitían en público cuando se quebraba la paz o se había cometido una felonía. Estos tipos de arrestos o aprehensiones de personas se permiten todavía bajo la Cuarta Enmienda si hay causa probable.

Causa probable es el estándar legal por la cual un policía tiene la autoridad de hacer un arresto, llevar a cabo un registro personal o de propiedad u obtener una orden de arresto. Aunque muchos factores contribuyen al nivel de autoridad de un policía en una específica situación, causa probable requiere hechos o evidencia que llevarían a una persona razonable a creer que un sospechoso ha cometido un crimen.

La prueba para determinar si existe causa probable para un arresto legal está en si el conocimiento por parte del policía de los hechos o de las circunstancias son suficientes para llevar a una persona prudente a creer que un sospechoso ha cometido, está cometiendo o está a punto de cometer un crimen.

Esta prueba indica que la mera sospecha de un crimen no es suficiente, pero el estándar para causa probable es una sospecha razonable de criminalidad y no conocimiento verídico o seguro.

¿Si un policía hace un arresto sin una orden, debe explicarse a un juez?

Aunque se permite un arresto sin orden basado en causa probable, dicho arresto debe ser justificado a un juez en un tiempo razonable. La Corte Suprema consideró este asunto en Gerstein v. Pugh. Una persona detenida sin orden debe ser presentada frente a un juez para determinar si el policía tenía causa probable para hacer el arresto.

Se le da evidencia al juez relativo a la "causa probable". La Cuarta Enmienda requiere una determinación judicial de causa probable aún después del arresto.

Hay solamente dos cuestiones en Gerstein:

- ¿Hay alguna evidencia que se ha cometido un crimen?;
- ¿Hay alguna evidencia que este individuo tuvo algo que ver con el crimen?

¿Cuáles son las consecuencias en un procesamiento criminal si un policía hace un registro o arresto sin una orden?

La Cuarta Enmienda declara el derecho de estar exento de registros y aprehensión no razonables, pero la manera de cumplir con ese derecho no es especificada. Si una acción penal resulta de una violación gubernamental de la Cuarta Enmienda, evidencia de violación obtenida como resultado de una violación no se puede presentar en el juicio. La evidencia es excluida del juicio, así es que se llama la Regla de Exclusión.

Hay tres elementos a la Regla de Exclusión. Estos elementos son:

- Confiscación de propiedad sin orden por un policía, o por alguien actuando como un agente de la policía;
- Debe haber evidencia para uso en una acción penal obtenida o confiscada;
- Debe haber una conexión entre la acción ilegal y la evidencia obtenida. Si hay una acción ilegal, pero la acción no está relacionada a la colección de evidencia, se le permitirá al estado presentar evidencia durante el juicio.

¿Siempre se requiere que el policía consiga una orden judicial antes de hacer un registro?

El requisito del orden judicial de la Cuarta Enmienda tiene seis excepciones:

1. Incidente de Registro de una Detención Legal
   Un incidente de registro a detención no requiere una orden judicial. Si se detiene a alguien legalmente, el policía puede legalmente registrar su cuerpo.
2. Excepción de Plena Vista
   El policía puede confiscar evidencia en plena vista si están legalmente en el área desde donde se puede observar la evidencia.
3. Consentimiento
   Si el consentimiento lo da una persona considerada razonablemente por un agente de tener autoridad a dar dicho consentimiento, no se requiere una orden judicial para el registro o confiscación.
4. Detener y Registrar
   Un policía puede detener a una persona sospechosa si hay una <u>razonable</u> <u>sospecha</u> de un acto criminal.
5. Excepción de Automóvil
   No se requiere una orden judicial para registrar un vehículo si el policía tiene causa probable en creer que el vehículo contiene evidencia de un crimen.
6. Emergencias/Persecución en Caliente
   Se puede confiscar evidencia que pudiera moverse o destruirse antes de conseguir la orden judicial.

¿Hay otros remedios para violaciones de la Cuarta Enmienda?
Hay por lo menos dos alternativas como maneras de impedir conducta ilegal por policías. Una es de cargar al policía con crímenes por ilegalmente entrar hogares o edificios o la propiedad de alguien. Como asunto práctico, los policías son miembros de la fuerza policiaca y

sanciones criminales o aún administrativas contra los policías son raras.

Hay posibilidad de aplicar de manera privada los derechos de la Cuarta Enmienda a través de pleitos civiles, pidiendo dinero de policías quienes fueron responsables por la violación y de la agencia para las cuales ellos trabajan.

Un individuo que ha tenido su propiedad o persona registrada o aprehendida ilegalmente puede presentar demandas a la policía por daños monetarios. Como la mayoría de los casos de conducta impropia por la policía son decididos por jurados de la comunidad quienes han aprendido a respetar y honrar las agencias de policía, indemnizaciones del jurado ocurren en solamente las más serias violaciones de la Cuarta Enmienda.

Esto podrá estar cambiando con la realidad que la tecnología moderna graba en video más conflictos de policías y ciudadanos, un desarrollo favorable a la Cuarta Enmienda.

La Quinta Enmienda: El Derecho de Guardar Silencio y Cuatro Más

Nadie estará obligado a responder a un delito capital o infame, salvo por acto de acusación de un jurado indagatorio, excepto en las causas que se presenten en las fuerzas armadas terrestres o navales o en la milicia cuando se encuentre efectivamente de servicio militar en tiempo de guerra o de peligro público; tampoco se juzgará dos veces a una persona por el mismo delito de forma que la exponga de nuevo a la pena capital o a otra pena grave; ni se le obligará en ninguna causa penal a declarar contra sí mismo, ni se le privará de la vida, la libertad o los bienes sin los debidos procedimientos de la ley, ni se confiscará la propiedad privada para uso público, sin compensación justa.

¿Cuántos derechos hay en la Quinta Enmienda y cuáles son? La Quinta Enmienda contiene cinco derechos. Estos derechos son derechos procesales. Las personas tienen derecho a los beneficios de estos derechos procesales constitucionales como protecciones de sus derechos inalienables.

Los primeros cuatro derechos de la Quinta Enmienda definen procesos que incluyen gran jurados, doble incriminación, auto-incriminación y debido proceso. Estos procesos existen para proteger la vida y libertad de una persona de acción gubernamental. El quinto proceso está diseñado para proteger propiedad, evitando que el gobierno pueda tomar propiedad sin compensación al dueño.

Las protecciones de la Quinta Enmienda a vida, libertad y propiedad existen para limitar interferencia del gobierno con los derechos naturales inalienables de la Declaración de Independencia. John Locke, el padre filosófico de la Declaración, define el derecho de beneficiar de su propia labor como poseer propiedad, como el tercer derecho inalienable. Thomas Jefferson sustituyó "búsqueda de felicidad" por "propiedad" cuando escribió la Declaración.

¿Cómo se supone que el gran jurado proteja la libertad?

El gran jurado se introduce en la ley inglesa con la Magna Carta de 1215. La idea era posicionar a los ciudadanos entre aquellos acusados de un crimen y la prosecución por el Rey. Protecciones del gran jurado se consideraban una protección de prosecuciones gubernamentales inapropiadas.

Antes de la Revolución Americana, mientras que las tensiones crecían entre las colonias e Inglaterra, los gran jurados coloniales regularmente rechazaban aprobar las prosecuciones del rey. El poder del gran jurado colonial se usó para llevar la Revolución a oponer el dominio británico y ejercer los derechos de gobierno autónomo.

La Enmienda Quinta requiere que antes de que el gobierno federal pueda procesar a alguien por una felonía debe presentar la evidencia al gran jurado. Un fiscal presenta evidencia a un grupo de ciudadanos (miembros del gran jurado) y esos ciudadanos determinan, por una mayoría, si el gobierno tiene suficiente evidencia para acusar y enjuiciar a alguien por un crimen.

¿Qué es la protección contra "doble incriminación"?

La Cláusula de Doble Incriminación, "tampoco se pondrá a persona alguna dos veces en peligro de perder la vida o algún miembro con motivo del mismo delito," protege a un individuo de sufrir prosecuciones sucesivas por el mismo presunto acto, para asegurar la integridad de una declaración de no culpabilidad y para proteger a un acusado de las dificultades emocionales, sicológicas, físicas y financieras que resultarían como parte de múltiples juicios por la misma presunta ofensa. La Cláusula de Doble Incriminación incluye tres diferentes derechos. El derecho de:

- No sufrir una segunda prosecución seguida de un veredicto de no culpabilidad;
- No sufrir una segunda prosecución seguida de un veredicto de culpabilidad;
- No recibir múltiples castigos por la misma ofensa.

Para poder aplicar esta cláusula, la primera pregunta es si el "riesgo" se ha "transmitido." Un acusado está en peligro de una determinación de culpabilidad una vez que el juicio comienza y en ese momento "riesgo" se ha "transmitido" y las protecciones de la cláusula comienzan. Las protecciones contra doble incriminación aplican a ambas prosecuciones federales y estatales.

¿Qué significa "acogerse a la Quinta Enmienda"?

La mejor conocida protección de la Quinta Enmienda es el derecho de mantener silencio. Aplica no sólo a acusados en casos criminales, pero también a otros de no ser forzados a dar testimonio o hacer declaraciones que podrían usarse contra ellos en un proceso criminal. Un testigo en un procedimiento, que no sea el acusado, puede "acogerse a la Quinta Enmienda" y negarse a contestar preguntas si es testigo razonablemente cree que tales respuestas podrían implicarlo en una actividad criminal.

Las advertencias de Miranda aconsejan a sospechosos criminales de su derecho de mantener el silencio. El consejo a un sospechoso de su derecho de representación legal viene de la Sexta Enmienda. Cuando la policía detiene y pone bajo custodia a un sospechoso, se necesita informarle al sospechoso de sus derechos. Si la policía falla en informar al sospechoso de sus derechos, cualquier evidencia obtenida no será admisible contra el acusado en un juicio. Esto es similar a la regla de exclusión aplicada a violaciones de la Cuarta Enmienda.

Las garantías de la Cuarta y Sexta Enmiendas aplican igualmente al gobierno federal que al estatal.

¿Qué son las Advertencias Miranda y que le pasó a Miranda?
Las advertencias Miranda forman parte del sistema de justicia penal y de la cultura popular americana.

Ernesto Miranda era un inmigrante mexicano de 23 años. En su caso en 1966, *Miranda v. Arizona*, la Corte Suprema de Estados Unidos en 1966 determinó que la policía necesitaba aconsejar a un sospechoso de varios derechos constitucionales antes de interrogarlo. Si la policía así no lo aconseja, cualquier declaración hecha por el sospechoso no puede usarse contra él en el proceder de un crimen.

Las advertencias llegaron a conocerse como "advertencias Miranda." De hecho, el nombre Ernesto Miranda se ha convertido en un verbo en inglés: "Mirandize" o explicar los derechos Miranda. Las advertencias estándares son:

> Usted tiene derecho a no decir nada. Cualquier cosa que usted diga podrá y será usada en su contra en una corte judicial. Usted tiene el derecho de hablar con un abogado y de que él esté presente con usted cuando se le esté interrogando. Si usted no puede pagar para contratar a un abogado, uno le será nombrado, si usted desea tenerlo, para que lo represente antes de cualquier interrogatorio. Una posdata a la historia: En 1976, Miranda fue asesinado en un bar en Phoenix. Un sospechoso fue arrestado en el asesinato. El sospechoso recibió consejo de su derecho de mantener silencio y así lo hizo. Nadie ha sido encontrado culpable del asesinato de Ernesto Miranda. (La foto de Miranda está al principio de este capítulo.)

¿Qué es la garantía de Debido Proceso Legal?
Esta cláusula consagra la "regla de derecho" en la Constitución. Puede trazarse a la frase en la Magna Carta de 1215. Esa frase, "regla de la nación," se convertiría a través de los siglos en el "debido proceso legal." La idea que el gobierno no debía quitarle propiedad o libertad a ninguna persona excepto por ley o procesos preexistentes se ha llegado

a conocer como la "regla de ley." Esto significa que debe haber leyes y procesos establecidos antes de que alguien sufra una pérdida a manos del gobierno. Adicionalmente, esas leyes y procesos deben ser administrados por una tercera parte imparcial.

El debido proceso legal es garantizado a todos los ciudadanos en cuanto a protecciones, garantías y derechos provistos en la Constitución de Estados Unidos y todas las leyes pasadas bajo la autorización de la Constitución. Sin el debido proceso legal, el gobierno no puede privar a una persona de vida, libertad o propiedad.

El debido proceso legal garantiza un procedimiento judicial que es fundamentalmente equitativo, ordenado, imparcial y justo. La Cláusula de Debido Proceso Legal de la Quinta Enmienda aplica solamente al gobierno federal. Derechos a Debido Proceso Legal en procedimientos estatales fueron garantizados por lenguaje idéntico en la Enmienda Catorce.

¿Qué es justa indemnización cuando el gobierno se apodera de propiedad privada?

El concepto de dominio eminente permite que el gobierno se apodere de propiedad privada para uso público. La Cláusula de Justa Indemnización requiere al gobierno, sea local, estatal o federal, compensar al dueño de la propiedad tomada.

Justa Indemnización ha sido interpretada como el justo valor de mercado, definido como lo que pagaría un comprador interesado y sin presión de nadie en una transacción realizada en condiciones de independencia mutua entre partes no vinculadas. El proceso típicamente significa una oferta por el gobierno para comprar una propiedad. Si el gobierno y el dueño no llegan a un acuerdo, un jurado decide.

Gobiernos también pueden deber compensación a dueños de propiedad cuando pasan reglamentos o leyes de zonificación que afectan el valor de propiedad.

Históricamente, "uso público" era considerado ser para vías públicas, servicios públicos o edificios. En 2005, el concepto de uso público fue ampliado de forma controvertida por la Corte Suprema para incluir que el gobierno podía apoderarse de la propiedad de un dueño privado para hacerla disponible para desarrollo comercial. Muchos estados han respondido a esta decisión pasando leyes limitando sus propios poderes de dominio eminente solamente al poder de apoderarse de propiedad para tradicionales usos públicos.

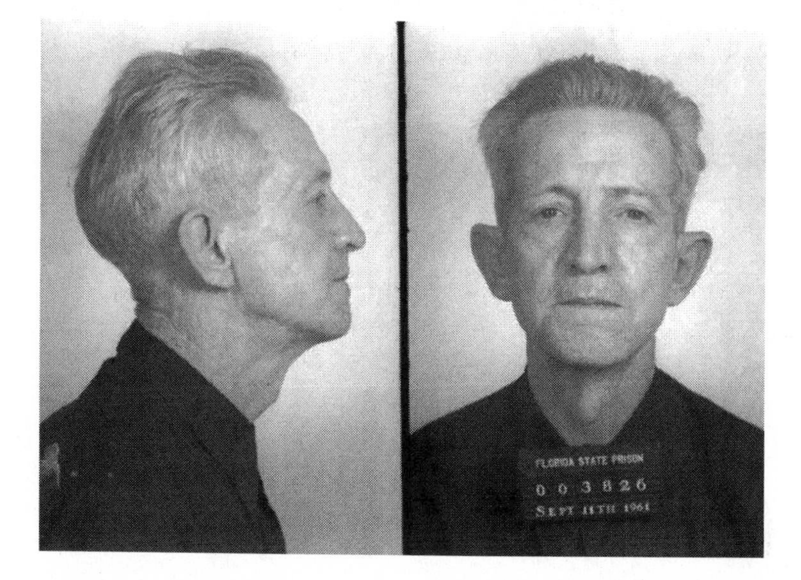

La Sexta Enmienda:

Derecho a Representación por un Abogado y Cinco Más

En cualquier causa penal el acusado gozará del derecho a que se le juzgue con prontitud y públicamente por un jurado imparcial del Estado y distrito donde se hubiera cometido el delito, cuyo distrito habrá sido fijado por ley; asimismo, a que se le haga saber la índole y causa de la acusación; a que se caree con los testigos en su contra; a que se obligue a comparecer a los testigos en su favor, y a contar con los servicios de un abogado defensor.

¿Cuántos derechos hay en la Sexta Enmienda y cuáles son?
La Sexta Enmienda contiene derechos más allá del bien conocido derecho a representación por un abogado en asuntos criminales. Hay seis derechos constitucionales en la Sexta Enmienda. Son derechos procesales diseñados para proteger los derechos naturales inalienables de un individuo a vida y libertad.

Un resumen de los derechos de la Sexta Enmienda:

- Derecho a ser juzgado rápidamente;
- Derecho a ser juzgado en público;
- Derecho a ser juzgado por un jurado imparcial del distrito en que el delito se haya cometido;
- Derecho de ser informado de la causa de acusación;
- Derecho de enfrentar a los testigos que depongan en su contra;
- Derecho de representación de un abogado.

Originalmente estos derechos solamente se garantizaban a personas acusadas de crímenes federales. La Cláusula de Debido Proceso Legal de la Enmienda Catorce ha extendido estos derechos a procedimientos criminales estatales.

¿Qué es el derecho a ser juzgado rápidamente?

El derecho de ser juzgado rápidamente ha sido definido por estatuto en la mayoría de jurisdicciones, poniendo limitaciones del tiempo durante el cual un juicio criminal debe ocurrir, y si no los cargos son retirados.

Hay una prueba de cuatro partes para determinar si los derechos de ser juzgado rápidamente han sido violados:

- Duración del retraso: Un retraso de un año o más de la fecha en la cual el derecho a ser juzgado rápidamente se "transmite" (la fecha del arresto o acusación, cualesquiera ocurra primero) se conoce como "presuntamente perjudicial";
- Razón por el retraso: El gobierno no puede retrasar un juicio por su propio beneficio, pero un juicio puede retrasarse por el testimonio de un testigo ausente o por otras razones prácticas;
- Tiempo y manera en la cual el acusado ha afirmado su derecho: Si un acusado está de acuerdo con un retraso o lo causa él mismo cuando el retraso beneficia al acusado, él no puede después reclamar violación de su derecho de ser juzgado rápidamente;
- Aumento en prejuicio del acusado por el retraso.

¿Un juicio definitivamente tiene que ser en público?

El derecho a ser juzgado en público viene del sentido de historia de los Fundadores y conocimiento de los procedimientos secretos en Inglaterra comenzando con el Star Chamber en 1487 en la cual cargos criminales fueron presentados.

El derecho de ser juzgado en público no es absoluto. La fiscalía o defensa puede pedir un juicio a puertas cerradas. El derecho de ser juzgado rápidamente debe ser equilibrado con el derecho a un juicio imparcial. Si la corte encuentra que un juicio público podría afectar la imparcialidad del juicio, los procedimientos deben tener lugar a puertas cerradas. Estos son casos raros.

La razón para un juicio público es proteger la libertad del acusado al tener procedimientos que pueden ser observados por todos los que quieran, así creando un juicio imparcial. Un acusado puede escoger renunciar a su derecho a un juicio público, pero no tiene un derecho absoluto a un juicio privado. El derecho de Libertad de Imprenta de la Primera Enmienda impide al gobierno de sellar procedimientos que generalmente serían públicos. Puede haber momentos que un acusado quiera un juicio privado, pero la prensa tiene el derecho de observar los procedimientos.

¿Cuál es el Derecho a un Jurado en casos criminales?

En un caso criminal, el gobierno demanda o carga a un acusado con una violación de ley criminal y comienza los procesos (audiencia de fianza, comparecencia del acusado ante el juez y juicios) para probar ese cargo más allá de duda razonable.

La Sexta Enmienda provee muchas protecciones y derechos a una persona acusada de un crimen. Un derecho es de ser juzgado frente a un jurado imparcial—personas independientes de la comunidad cercana quienes están dispuestas a decidir sobre el caso basándose solamente en la evidencia. En algunos casos donde ha habido mucha información diseminada en las noticias, la Corte Suprema ha decidido que los miembros de un jurado pueden seleccionarse de otro lugar para asegurar que sean imparciales.

Cuando se selecciona a un jurado, ambos abogados fiscales y de la defensa pueden objetar a incluir a ciertas personas. Algunas de estas objeciones, llamadas descalificaciones, son por causa (el potencial miembro del jurado ha dicho o ha hecho algo que demuestra que él o ella no puede actuar imparcialmente). Otras son perentorias (no se necesita dar ninguna razón, pero un lado no quiere que la persona sea miembro del jurado). Los abogados no pueden usar descalificación perentoria por causa de raza o sexo.

¿No es suficiente obvio el derecho de ser informado de la causa de acusación?

Es verdad que parece obvio y justo que cuando el gobierno carga a alguien con un crimen que esa persona debe ser informado de cuál ley ha violado y de qué hizo para violar esa ley. Esta provisión de la Sexta Enmienda reitera que el gobierno no siempre actúa de manera justa y que siempre se le debe recordar al gobierno de este obvio derecho.

Contemplando la historia antigua por lo menos hasta el siglo 12, los sistemas judiciales ingleses podían proceder con cargos como herejía con la mera sugerencia de "mala fama" sin la necesidad de detalles. Cuatrocientos años después, la High Commission y Star Chamber juntaron a ciudadanos y los interrogaron sin mencionar la base de la denuncia.

Cuando colonos emigraron de Europa a América para escapar persecución religiosa y gobiernos tiránicos, comenzaron a adoptar un requisito de informar al acusado de los cargos en detalle. Este requisito se popularizó y se convirtió fundamental en América.

La historia había demostrado que un derecho tan obvio y justo aún así necesitaba protección del propuesto nuevo gobierno bajo la Constitución. La propuesta de James Madison para esta cláusula fue adoptada sin debate y fue insertada en la Sexta Enmienda.

¿Fue Estados Unidos el primer gobierno en formalmente requerir informar a un acusado de los cargos?

Ha habido muchos regalos al mundo como resultado de la Fundación de América. Esta provisión de la Sexta Enmienda es uno de ellos. El derecho de un acusado de ser informado de los cargos contra él ha sido adoptado en múltiples acuerdos internacionales. Un ejemplo se encuentra en el acuerdo internacional que encuadra La Organización para Seguridad y Cooperación en Europa (The Organization for Security and Co-Operation in Europe- OSCE).

6.3.1 El derecho de ser informado de cargos criminales - Artículo 14(3) del ICCPR y Artículo 6(3) de la ECHR garantiza el derecho de cada persona acusada de un cargo criminalu ofensa criminalde ser informada puntualmente, en detalle, y en un lenguaje que el acusado comprenda, de la naturaleza (caracterización legal de la ofensa) y causa (hechos alegados) del cargo. Antes de la Sexta Enmienda de América, lo que parece justo y obvio nunca antes había sido el compromiso firme de ningún gobierno del mundo. Ahora es el estándar para el mundo. Este es el tipo de idea que vemos en la frase "Excepcionalismo Americano."

¿Por qué hay un derecho constitucional para un acusado de enfrentar a los testigos contra él?

Sir Walter Raleigh es conocido por muchas cosas. La contribución de Raleigh a la Constitución de Estados Unidos fue su demanda de poder enfrentarse con el testigo contra él durante su juicio por traición en 1603. La demanda de Raleigh fue rechazada y una declaración escrita de un alegado co-conspirador fue usada como evidencia contra Raleigh, sin que el testigo se presentara en la corte para contestar preguntas acerca de la declaración. Raleigh fue condenado y pasó los próximos trece años en la cárcel.

Injusticias similares a las que Raleigh sufrió ocurrieron durante la era revolucionaria de América. Los Fundadores de América conocían bien el famoso caso de Raleigh, y sus propias experiencias coloniales estaban aún frescas en sus memorias.

Este conocimiento y experiencia culminaron en las protecciones para el derecho de confrontación en Estados Unidos.

¿Qué significa el Derecho de Confrontación?

La Sexta Enmienda requiere que si hay testimonio en un juicio presentado por un testigo, no puede presentarse por declaración escrita, sino en persona y el acusado debe tener la oportunidad de cuestionar al testigo (confrontar al testigo). Este derecho solamente se aplica en el juicio. El derecho no se aplica a información ofrecida por un informante u otra información ofrecida por personas que no atestigüen en el juicio. Un derecho adicional que es una extensión lógica del derecho de confrontar testigos es un derecho del acusado de estar presente en el juicio. Esto significa que no se puede tener un juicio cuando el acusado está ausente. El acusado puede renunciar su derecho a estar presente si así lo desea. Si así lo renuncia, el juicio puede proceder sin él.

Los nuevos avances en tecnología han causado algunos cambios que permiten a los testigos atestiguar a distancia y de tener un contra interrogatorio a distancia también, pero el principio fundamental que existe un requisito para testimonio en vivo continúa en el derecho de confrontación.

¿Tuvieron siempre los acusados en casos criminales el derecho de abogados designados en las cortes americanas?

Gracias a programas de televisión donde policías leen las advertencias Miranda, el público conoce el derecho de un acusado de un acto criminal de tener un abogado y que un acusado pobre puede recibir la ayuda de un abogado designado sin costo a él o ella. Tales protecciones no siempre han sido parte de la ley de Estados Unidos.

En Inglaterra y la joven América colonial, acusados de actos criminales no tenían derecho a consejo legal basado en la teoría que un acusado culpable no debía escapar castigo por tener un abogado competente. Aunque la Sexta Enmienda cambió esta práctica, por 141 años el derecho de tener consejo legal significaba *permitir* al acusado a contratar un abogado para su defensa. El estado no estaba requerido a proveer consejo legal para un acusado pobre.

En 1932, con el caso de "los muchachos Scottsboro" una evolución comenzó hacia el derecho universal de cualquier acusado de un crimen de tener un abogado. En ese caso, nueve jóvenes negros fueron acusados de violación, condenados y sentenciados a muerte todo en sólo dos semanas del alegado crimen, sin el beneficio de competente consejo legal. Por primera vez, la Corte Suprema decidió que existían "circunstancias especiales" en el caso, y que los acusados tenían derecho a que la corte les asignara un abogado seleccionado por ellos mismos. Las convicciones y sentencias de muerte fueron revocadas.

Este fue el caso que comenzó a cambiar el entendimiento del derecho a representación legal de un derecho a *contratar* a un abogado a un derecho a *tener* un abogado, si necesario asignado por la corte.

¿El derecho a representación legal ahora aplica a todos los acusados de actos criminales?

Gracias al caso de 1963 de *Gideon v. Wainwright*, si un acusado de un acto criminal se enfrenta con la posibilidad de seis meses o más de encarcelamiento, él tiene el derecho a un abogado asignado por la corte y sin costo si el acusado no puede pagar.

La historia de ese cambio comenzó cuando Clarence Gideon fue acusado de entrada con fractura a una sala de billar. Gideon llegó a la corte pobre y sin abogado. Le pidió a la corte asignarle un abogado. Su petición fue negada. A Gideon se le declaró culpable y fue sentenciado a cinco años en la cárcel.

Una apelación de la convicción de Gideon escrita a mano fue enviada de la Cárcel Estatal de la Florida (*Florida State Prison*) a la Corte Suprema de Estados Unidos. La apelación escrita a mano argumentó que a Gideon se le había negado su derecho a consejo legal contenido en la Sexta Enmienda.

La Corte Suprema revocó la convicción de Gideon. En hacer esto, la Corte dijo que el derecho de representación legal de la Sexta Enmienda aplicaba a todos los procesamientos criminales estatales, y que los estados estaban obligados a asignar representación legal para acusados indigentes. Se le permitió a Gideon un nuevo juicio y un abogado asignado por la corte. El jurado lo declaró culpable en menos de una hora. (La fotografía de Clarence Gideon está al comienzo de este capítulo.)

I consider trial by jury as the only anchor ever yet imagined by man, by which a government can be held to the principles of its constitution.

--Jefferson

La Séptima Enmienda: Derecho a un Jurado en Casos Federales Civiles

"Yo considero el juicio por jurado como el único ancla jamás imaginado por el hombre, de cómo hacer a un gobierno responsable de adherirse a los principios de su Constitución." —Thomas Jefferson

Se garantizará el derecho al juicio por jurado en los juicios de derecho consuetudinario en los que el valor controvertido exceda de veinte dólares; ningún hecho juzgado por un jurado se examinará de nuevo en ninguna corte de Estados Unidos salvo conforme a las normas del derecho consuetudinario.

¿Cómo encuadran los jurados con el diseño de gobierno constitucional?

Los Padres Fundadores temían el poder de gobierno. Ellos consideraban que jurados de ciudadanos presentaban un freno crítico a ese poder. La suspensión de juicios por jurados por el Rey George fue una de las denuncias en la Declaración de Independencia. La Séptima Enmienda de la Constitución refleja la historia y las creencias coloniales.

John Adams describió la importancia del jurado dentro del sistema de gobierno:

la Constituciónrequiere que la gente común debe tener el más total control, el más decisivo negativo, en cada juramento de una corte de judicatura.

Aunque la Constitución original contenía una provisión para juicios por jurado en casos criminales en el Artículo III, Segunda Sección, Cláusula 3, no había provisión para juicios por jurado en casos civiles. Durante los debates de ratificación, los adversarios de la Constitución señalaron esta deficiencia, y sus partidarios prometieron que el Primer Congreso propondría una enmienda para abordar este asunto.

Esto reflejaba el escepticismo de los Fundadores de gobierno y fe en el pueblo de todos actuar como los protectores de la libertad de cada uno.

¿Cuál es el propósito de la Séptima Enmienda?

La Séptima Enmienda provee el uso de jurados para decidir cuestiones en demandas civiles en la corte federal. Casos civiles deciden disputas entre partes privadas y reclamos de dinero por ciudadanos contra el gobierno o por el gobierno contra ciudadanos. Daños monetarios son el remedio principal de un pleito civil. La Séptima Enmienda garantiza un juicio por jurado en la corte federal en casos civiles. No se aplica a casos civiles en cortes estatales.

Además de esta provisión, los Fundadores afirmaron el papel crítico de los miembros del jurado en proteger el derecho inalienable de un ciudadano de disfrutar las ganancias de su labor.

El Artículo III de la Constitución requería jurados en casos criminales antes de las enmiendas. Adversarios de la Constitución se habían quejado que no había requisito para jurados en juicios civiles. La Séptima Enmienda fue agregada para resolver esta cuestión.

¿Qué significa la referencia a "derecho consuetudinario" en la Séptima Enmienda?

La Constitución organizó el gobierno, dando poder para actuar en ciertas áreas y limitando acciones en otras. El Derecho Consuetudinario o Derecho Común se heredó de Inglaterra y se mantuvo vigente después de que la Constitución fue adoptada. El Derecho Común afirmó los tipos de casos decididos por jurados, y reservó otros casos para jueces. La Séptima Enmienda reconoció esta distinción.

Decisiones reservadas para jueces se consideraban una diferente área de ley, conocida como Equidad. Estos tipos de casos incluían áreas donde las partes eran ordenadas a hacer o abstenerse de hacer algo (un interdicto). Equidad abarcaba otros asuntos, incluyendo ley de familia y testamentaria. El principio guía para el juez bajo las Reglas de Equidad era ser justo y equitativo. La mayoría de áreas anteriormente conocidas como Equidad han sido tratadas por estatuto, pero continúan asignadas a jueces, no jurados, para la decisión.

¿Por qué hay una provisión especial para "casos civiles"? La Séptima Enmienda extiende el derecho a un juicio por jurado a casos federales civiles tales como accidentes de automóvil, disputas entre corporaciones por incumplimiento de contrato o la mayoría de disputas de discriminación o de empleo.

En casos civiles, la persona quien acusa (el demandante) pide compensación monetaria por daños o una orden de la corte impidiendo a la persona demandada (el acusado) de cierto comportamiento. Para ganar, el demandante tiene que probar su caso con una "preponderancia de evidencia," es decir más de cincuenta por ciento de prueba.

Aunque la Séptima Enmienda declara que está limitada a "litigios bajo el derecho consuetudinario o común," es decir, casos que requerían un jurado bajo la ley inglesa, la enmienda también se ha aplicado a casos similares a aquéllos bajo la antigua ley consuetudinaria. Por ejemplo, el derecho a juicio por jurado aplica a casos iniciados bajo estatutos federales que prohíben discriminación de raza o sexo en vivienda o empleo. Pero importantemente, la Séptima Enmienda garantiza el derecho a un juicio por jurado solamente en corte federal, no en corte estatal.

The 8th Amendment

Excessive bail shall not be required, nor excessive fines imposed, nor cruel and unusual punishments inflicted.

La Octava Enmienda: Prohibición de Castigos Crueles e Inusitados

> No se exigirán fianzas excesivas, ni se impondrán multas excesivas, ni se infligirán castigos crueles e inusitados.

¿Cuál es la historia y el propósito de la Octava Enmienda?
La Octava Enmienda es un conjunto de derechos "procesales" diseñados para proteger el derecho inalienable de libertad. Requiere que el gobierno siga ciertas reglas si tratara de interferir con la libertad.

En 1641, la Colonia de Massachusetts Bay adoptó un Conjunto de Libertades con derecho a fianza y prohibiendo castigos crueles e inhumanos. El lenguaje de la Octava Enmienda es prácticamente idéntico a la Declaración de Derechos de Virginia de 1776.

La provisión de Virginia de 1776 era:

> Que no se demandará fianza excesiva, ni se impondrán multas excesivas, ni se infligirán castigos crueles e inusitados.

Este es un pequeño ejemplo de cuán importante fue la experiencia colonial en la formación de la Carta de Derechos.

La detención de un acusado antes del juicio es afectada por la cláusula de fianza excesiva. Multas excesivas aún no han sido definidas por la Corte Suprema. Castigos crueles e inusitados han sido un tema principal en muchos casos de la Octava Enmienda, a menudo en la consideración de si la pena de muerte es cruel e inusitada.

¿Por qué hay una provisión contra fianza excesiva?
Una fianza es la cantidad de dinero que un acusado necesita presentar a una corte para ser puesto en libertad antes de su juicio. La prohibición contra fianza excesiva protege el derecho inalienable no escrito en la Constitución pero crítico a la libertad.

A una persona acusada de un crimen se le presume inocente hasta que se le encuentre culpable en un juicio o que se declare culpable en sesión pública en corte. Es difícil preparar una defensa y consultar con abogados mientras se está bajo custodia, y si la persona razonablemente no puede conseguir ser puesto en libertad, está discapacitado en defender su libertad.

La fianza es excesiva cuando la cantidad de dinero es más de lo necesario para asegurar la comparecencia del acusado en el juicio y, si se le encuentra culpable, de servir la sentencia. La fianza no puede ser más de lo necesario para cumplir con estos requisitos.

La fianza solamente puede negarse cuando se ha demostrado que el acusado presenta un peligro a la comunidad.

El Derecho de Presumido Inocente no está escrito en la Constitución, pero es el derecho que nos pertenece a todos.

¿Qué es una fianza excesiva?
La Corte Suprema no ha dado una definición de lo que es una fianza excesiva. En casos de indigentes quienes podrían ser encarcelados por no pagar multas, la Corte ha usado la Cláusula de Protección Equitativa de la Enmienda Catorce para permitir acusados indigentes de ser puestos en libertad y por lo tanto no ha abordado la cantidad excesiva de multas.

Es claro que grandes daños punitivos en demandas civiles no están cubiertos por la Octava Enmienda. La Corte Suprema ha indicado que procedimientos civiles de decomiso donde el gobierno ha confiscado la propiedad de una persona relacionada a procedimientos criminales pueden estar sujeta a la Cláusula de Multas Excesivas, pero la respuesta a esa pregunta no ha sido definitiva.

Como consideración, ¿qué de las multas de infracción de tráfico que constantemente aumentan? Tales multas podrían ser excesivas para aquéllos que no pueden pagarlas, resultando en la pérdida de privilegios de conducir. Esto no se ha disputado bajo la Octava Enmienda, pero podría ser un día.

¿Qué tipos de castigos son "crueles e inusitados"?
Algunos castigos son completamente prohibidos por la Cláusula de Castigos Crueles e Inusitados. En 1878, aún sosteniendo una sentencia de que el acusado declarado culpable fuera "fusilado en público" en Wilkerson v. Utah, la Corte Suprema enumeró ejemplos de castigos que serían crueles e inusitados para cualquier crimen:

- Descuartizamiento;
- Disección en público;
- Quema en vida;
- Destripamiento.

Muchos de éstos habían sido castigos para crímenes en Inglaterra antes de la Revolución. El crimen de traición en Inglaterra específicamente proveía que cada uno de estos castigos sería infligidos. La Octava Enmienda aclaró que la crueldad de los ingleses no se copiaría en el nuevo gobierno federal americano.

¿Es la pena de muerte "cruel e inusitada"?
En 1972, la Corte Suprema delineó una prueba para determinar si la pena de muerte está prohibida por la Octava Enmienda en Furman v. Georgia. Los elementos de la prueba son:

- El "principio esencial" es "que un castigo no puede, por su severidad, degradar la dignidad humana," especialmente tortura;
- Un castigo severo que obviamente está infligido de manera totalmente arbitraria;
- Un castigo severo que está total y claramente rechazado por la sociedad;
- Un castigo severo que es totalmente innecesario.

La Corte consideró que se estaban imponiendo sentencias de muerte de manera arbitraria, y que la discreción y falta de dirección dadas a jueces y jurados estaban resultando en que algunos acusados con situaciones similares estaban recibiendo sentencia de muerte mientras que otros no. La Corte determinó que esto era "cruel e inusitado." Como resultado, no se realizó ninguna ejecución en los próximos cuatro años mientras los estados revisaban sus leyes de pena de muerte. Muchas de las leyes revisadas establecieron juicios separados en cuanto a la culpabilidad del acusado y un segundo "juicio" en cuanto a la pena apropiada. La Corte Suprema opinó que dichas leyes no eran arbitrarias en el caso de 1976 de Gregg v. Georgia y las ejecuciones comenzaron de nuevo.

El 17 de enero de 1977, asesino convicto Gary Gilmore de Utah declaró a un escuadrón de fusilamiento, "Adelante," y se convirtió en el primer prisionero ejecutado bajo las nuevas leyes de pena de muerte.

¿La Corte Suprema ha declarado en algún momento que la Pena de Muerte es cruel e inusitada?

Aunque la Constitución reconoce la pena de muerte y no es "cruel e inusitada," generalmente en el sentido de la Octava Enmienda, la Corte Suprema ha opinado que ofende la Constitución en varias circunstancias. En 1977, la Corte opinó que muerte era un castigo impropio para el crimen de violación. En 1982, la Corte opinó que la pena de muerte era inconstitucional cuando aplicada a alguien condenado de homicidio preterintencional. En 2002, la Corte Suprema determinó que la ejecución de un acusado incapacitado mentalmente era cruel e inusitada. En 2005, la Corte Suprema determinó que la ejecución de una persona que era menor de 18 años de edad cuando se cometió el crimen era cruel e inusitada.

La Novena Enmienda: Protección de Derechos No Enumerados

No se interpretará la enumeración de ciertos derechos en la Constitución como negativa o menosprecio de otros que retenga el pueblo.

¿Qué son "derechos enumerados"?

La Novena Enmienda aclara que el pueblo tiene derechos esenciales, más allá de aquéllos enumerados en las Primera a Octava Enmiendas. Los partidarios de la Constitución habían argumentado que sería peligroso enumerar derechos particulares (tales como libertad de expresión o el derecho de portar armas) ya que esto dejaba la impresión que no había otros derechos que aquéllos enumerados. Esta fue la razón por la cual la Constitución sin enmiendas no contenía la Carta de Derechos.

Este argumento no era aceptable a aquéllos que deseaban protecciones específicas de un gobierno tiránico y exigieron una Carta de

Derechos. La Novena Enmienda fue incluida para aclarar que la lista no era completa.

Diferente a la lista detallada en las primeras ocho enmiendas (y otras que están enumeradas en la Constitución sin enmiendas, e.g. el mandato de "habeas corpus"), los derechos protegidos por la Novena Enmienda no están enumerados con detalle. Los derechos detallados se llaman "enumerados," por lo tanto derechos bajo la Novena Enmienda se conocen como derechos "no enumerados." Estos derechos no enumerados incluyen derechos importantes tales como el derecho de viajar, de votar, de mantener asuntos personales en privado y de tomar importantes decisiones sobre su propio cuidado de salud o cuerpo.

¿Cuál es el propósito de la Novena Enmienda?

La Novena Enmienda provee la base para reconocer otros derechos "no enumerados," generalmente considerados resultante de ambas la ley natural y las tradiciones de derecho consuetudinario o común del país. Lo significante de la Novena Enmienda es que tales derechos existen y ningún otorgamiento constitucional de poder de gobierno extingue esos derechos.

Es directo y sencillo. La sencillez esconde el significado profundo de la Novena Enmienda. Reconoce que es imposible nombrar todos los derechos que las personas poseen para proteger sus vidas y libertades y de buscar la felicidad. Es una declaración directa que existen derechos naturales, inalienables que todas las personas poseen.

¿Qué tipos de derechos son reconocidos en la Novena Enmienda?

Hay muchos derechos que son reconocidos en nuestra sociedad que no son nombrados en las primeras ocho enmiendas. Si la Novena Enmienda no existiera, podría argumentarse que no existe protección constitucional para:

- El Derecho de Libre Asociación;
- El Derecho a la Presunción de Inocencia;
- El Derecho a un Juicio Imparcial;
- El Derecho de Privacidad.

Estos derechos y otros comúnmente reconocidos nunca son mencionados en la Constitución, pero son aceptados por la Corte Suprema y la sociedad generalmente como derechos con protección constitucional. Esto es consistente con la filosofía fundadora expresada en la Declaración de Independencia "que todos los hombres son creados iguales, que su Creador los ha dotado de ciertos derechos inalienables."

La Declaración enumera los más fundamentales derechos de vida, libertad y la búsqueda de felicidad. Estos se tomaron de los escritos de John Locke, y su foto se encuentra al principio de este capítulo.

¿Por qué se necesitó la Novena Enmienda?

La Novena Enmienda se necesitó por una regla legal y las protecciones de gobierno provistas en las primeras ocho enmiendas. La Constitución es un documento legal y muchos Fundadores eran abogados. Preocupaciones legales vinieron de esta regla: Expressio unius est exclusio alterius. En español quiere decir "la expresa mención de una cosa excluye todas otras. Las primeras ocho enmiendas explícitamente mencionan derechos como religión, expresión, prensa y portar armas. Esto se hizo un problema en limitar el gobierno. Según la regla, al mencionar límites en el poder del gobierno sobre esos derechos, significaba que el gobierno tendría poder sobre cualesquiera otros "derechos" que no eran mencionados.

La Enmienda Novena abordó este problema al decir explícitamente que sólo porque algunos derechos no eran nombrados no significaba que el gobierno había recibido otorgamiento de poder para intervenir con ellos. La Novena Enmienda era necesaria para "asegurar los beneficios de libertad" para la posteridad.

The 10th Amendment

The powers not delegated to the United States by the Constitution, nor prohibited by it to the States, are reserved to the States respectively, or to the people.

La Décima Enmienda: Poderes Reservados al Pueblo y a los Estados

Los poderes que la Constitución no delega a Estados Unidos ni prohíbe a los Estados quedan reservados a los Estados respectivamente o al pueblo.

¿Qué es el propósito de la Décima Enmienda?

En Estados Unidos, se les otorga poder a los gobiernos estatales para hacer leyes para las personas dentro de sus fronteras. Estos poderes provienen de las constituciones estatales. Simultáneamente, el gobierno federal, a través de la Constitución, hace leyes para todas las personas del país. Esta organización, con diferentes gobiernos con diferentes autoridades sobre el mismo territorio, se llama federalismo. La clave a este arreglo es que los gobiernos tienen poder sobre diferentes áreas. La idea de Federalismo Americano es proteger la libertad al limitar cada gobierno en su propia área.

Fue la intención que el gobierno federal tuviera solamente los poderes enumerados en la Constitución, con cualesquiera poderes no enumerados otorgados a los estados tal como dictado en sus propias constituciones. La Décima Enmienda fue incluida para aclarar esto y para limitar al gobierno federal de sobrepasar sus límites.

¿Qué tipos de asuntos querían los Fundadores reservar a los poderes de los estados?

En varios debates, escritos y publicaciones, los Federalistas aseguraron al pueblo que los estados mantendrían poder sobre la mayoría de asuntos domésticos, incluyendo pero no limitado a:

- gobernanza de religión;
- entrenamiento de la milicia y nombramiento de funcionarios de la milicia;
- control del gobierno local;
- la mayoría de sistemas de justicia criminal y estatal;
- asuntos familiares;
- títulos y transmisión de bienes raíces;
- testamentos y herencia;
- la promoción de artes útiles más allá de otorgar patentes y derechos de autor;
- control de propiedad personal fuera de comercio;
- la ley de daños y contratos, excepto en demanda entre ciudadanos de diferentes estados;
- educación;
- servicios para los pobres y desafortunados;
- licenciatura de tabernas;
- carreteras excepto caminos de posta;
- transbordadores y puentes;
- regulaciones de industrias pesqueras, fincas, y otras empresas.

Esta no es una lista completa, y estos asuntos solamente eran áreas de poder estatal si el pueblo había otorgado tal poder a través de su constitución estatal. La expectativa era que el gobierno federal usaría control SOLAMENTE sobre las áreas mencionadas en el Artículo I, Octava Sección. Esta reserva de poder para los estados se vio como una protección para que el gobierno federal no limitara la libertad del pueblo.

¿Qué es el propósito de la Décima Enmienda?
Esta enmienda sirvió para abordar preocupaciones durante el proceso de ratificación que el gobierno central de la Constitución no usurparía poderes concebidos para los estados y para el pueblo. El principio clave de la Constitución fue originalmente muy sencillo: *otorgamiento positivo de poderes enumerados.*

Entre las preguntas presentadas por los adversarios de la Constitución durante los debates de ratificación era la falta de un límite expresado sobre poder federal y que la falta de límite sería un peligro a las libertades individuales y a los poderes de los estados. La Décima Enmienda claramente agrega ese límite.

El pueblo nombró al gobierno federal su representante y agente para ciertos fines y sus propios estados para otros fines. La Décima Enmienda explica que el gobierno federal está autorizado para ejercer solamente aquellos poderes que se le han otorgado específicamente. Aclara los principios de federalismo que sirven de base para la Constitución y el propósito de proteger la libertad.

¿Cuáles Padres Fundadores fueron los más responsables por la adición de la Décima Enmienda?

La adopción de la Constitución de 1787 no era asunto cierto. La ratificación tenía oposición de muy conocidos patriotas incluyendo a Patrick Henry, Samuel Adams, y Thomas Jefferson. Ellos argumentaron que la Constitución al final resultaría en un fuerte gobierno centralizado con el poder de ser peligroso para las libertades ganadas en la Revolución a gran costo de vida y recursos. Los adversarios de la Constitución llegaron a conocerse como los "Anti-Federalistas," Todos nosotros les debemos una gran deuda a estos adversarios de la Constitución por las protecciones que nos consiguieron en la Carta de Derechos.

Fue la influencia y determinación de los adversarios de la Constitución que resultaron en la Décima Enmienda and el resto de la Carta de Derechos.

La Décima Enmienda sirve para poner énfasis a la *naturaleza limitada* del gobierno central. La Décima Enmienda refuerza el entendimiento de los ratificadores que los estados y el pueblo continuarían a ejercer poder sobre todas las áreas que no estaban específicamente bajo autoridad federal.

¿Por qué creía Thomas Jefferson que la Décima Enmienda era la fundación de la Constitución?

La Décima Enmienda aclara explícitamente lo que la estructura de la Constitución aclara implícitamente. La base implícita surgió de la regla de ley para leer documentos: la mención explícita de una cosa excluye todas otras. Si un poder no fue delegado al gobierno federal a través de la Constitución y los poderes enumerados allí descritos, ese poder no le pertenecía al gobierno federal.

Ya que el verdadero poder reside en el pueblo, ese poder fue reservado para los estados si el pueblo otorgaba el poder en la constitución estatal. Si el estado no recibía el poder del pueblo, continuaba con el pueblo. Aunque la lógica de la Constitución llega a esa conclusión, la Décima Enmienda la declara claramente.

Thomas Jefferson consideraba que la Décima Enmienda era la "fundación" de la Constitución porque el principio de la Décima Enmienda apoya la lógica entera y el significado total de la Constitución.

Epílogo

Temprano en el siglo 20, un pequeño pero políticamente importante país en Europa Oriental, Lituania (cerca del Mar Báltico), fue ocupado por el ejército ruso del zar. Un joven y una muchacha joven que no se conocían vivían en Lituania.

El joven se enteró de que el ejército ruso del zar pronto lo reclutaría a su servicio. Sabiendo que los soldados rusos a menudo brutalmente maltrataban a los lituanos reclutados, él hizo lo que muchos miles de jóvenes lituanos hacían—dejó su hogar por la esperanza de Estados Unidos.

Una Comunidad Autónoma con Poca Necesidad de Inglés

A través del tiempo, el joven tuvo muchos diferentes trabajos, incluyendo uno como minero y otro como campesino. En la finca, aprendió las competencias para ser carnicero. Con el tiempo, usó esas competencias para trabajar en Chicago. Al comienzo del siglo 20, Chicago era el centro de una comunidad lituana grande.

La comunidad era esencialmente autónoma. Había un periódico escrito en lituano, Draugas (todavía publicado hoy día), pequeñas tiendas, servicios y restaurantes con dueños lituanos. Al comienzo del siglo 20 en Chicago, un lituano podía valerse bien con poco inglés y aún sin conocimiento alguno de inglés.

Conflicto en el Imperio Ruso Rompe Lazos Familiares

En Lituania, todo estaba en caos. De un lado al otro del Imperio Ruso, las personas en tierras ocupadas se rebelaban. En Lituania, el peligro estaba siempre presente. No había seguridad en ningún lugar, aún en la finca donde la muchacha vivía con su familia numerosa de diez hermanos y hermanas. El conflicto armado continuaba a través de Rusia, más y más cerca de su hogar.

La preocupación de la familia por la seguridad de los más pequeños hijos crecía a diario. Tras la insistencia de su familia, la muchacha a los quince años abordó un barco, sola, y cruzó el Atlántico con la esperanza de seguridad en América. Familiares en Boston le dieron la bienvenida. Una hermana y un hermano también pudieron llegar a Estados Unidos. Los otros ocho no tuvieron la misma suerte. Todos finalmente murieron a manos de los invasores.

Una Nueva Familia Comienza en América

La muchacha llegó a la comunidad lituana de Chicago. Allí, conoció al joven que había escapado reclutamiento al ejército ruso. Se enamoraron, se casaron y tuvieron un hijo.

El niño creció en Chicago, fue a la escuela, aprendió a leer y escribir inglés y estudió la historia americana. Se convirtió en una práctica diaria de leer en inglés a sus padres del periódico, el *Chicago Tribune.* Al principio, él traducía de inglés a lituano, pero con el tiempo, sólo les leía en inglés. También compartió sus estudios acerca de Estados Unidos con sus padres. De su hijo, los inmigrantes lituanos aprendieron inglés y acerca de la herencia e historia de su nuevo país.

Su hijo fue el puente para ellos a su nueva vida. No sólo les traducía las noticias, sino que también, sin saberlo, les traducía lo que significa América.

No una Historia Lituana—Una Historia Americana

¿Suena familiar? La historia de personas que escapan un lugar peligroso y opresivo para buscar la libertad, esperanza y seguridad de América — ¿posiblemente ésta también es la historia de su familia? Si reflexiona un poco, se dará cuenta que aunque la historia comienza en Lituania, claramente no es una historia lituana, sino una historia americana.

En algún punto en cada historia americana, hay una generación que actúa como un puente. Las personas en esta generación puente no sólo traducen los asuntos de la vida diaria americana, sino que también sirven para traducir el significado de lo que es América. Sea el idioma alemán, holandés, lituano o español, el final de estas historias americanas siempre incluye una traducción de los principios que forman la herencia de todos los americanos. Los principios de la Declaración de Independencia, la Constitución y la Carta de Derechos que reconocen la igualdad de las personas ante la ley, el propósito de gobierno ambos como sirviente del pueblo y protector de los derechos de cada individuo, son universales.

Una Nota del Autor

Temprano en mi carrera, yo fui Fiscal Estatal Asistente en el Condado de Cook, Illinois, principalmente en prosecuciones criminales. Después de dejar este trabajo, mi carrera privada ha sido mayormente en defensa criminal. Menciono esto porque asuntos relacionados a la Constitución de Estados Unidos están presentes a diario en la práctica del derecho criminal. Por lo tanto, yo he vivido profesionalmente por más de 25 años todos los días con la Constitución.

Los Padres Fundadores desconfiaban del poder de gobierno. Se preocupaban particularmente del poder de encarcelamiento. Habían visto dicho poder usado indebidamente por razones políticas. Es por esto que se encuentran protecciones para el pueblo contra encarcelamiento tiránico gubernamental a través de la Constitución.

Existen límites en el uso de ese poder en la Constitución original con provisiones para jurados, *habeas corpus*, prohibiendo al gobierno de decidir que algo es un crimen después de cometido el acto o de aplicar una ley criminal a solamente una persona o a un pequeño grupo de personas. La Carta de Derechos principalmente cubre asuntos de derecho criminal. Para empezar, las Primera y Segunda Enmiendas son protecciones de expresión y del derecho de portar armas, y limitan el poder del gobierno de considerar el ejercicio de esos derechos un acto criminal. Las Cuarta, Quinta, Sexta y Octava Enmiendas de la Carta de Derechos proveen protecciones de la vida, libertad y propiedad de alguien acusado de un crimen.

Hace unos años, comencé a participar en presentaciones del Día de la Constitución en escuelas secundarias. (El Día de la Constitución es el 17 de septiembre, el día que la Convención Constitucional terminó su labor en 1787.) La primera experiencia me sorprendió. Era increíble lo poco que sabían los estudiantes acerca de este tema, y aún más sorprendente que los maestros parecían saber sólo un poco más que los estudiantes.

El resultado fue que comencé a escribir sobre la Constitución para una revista en línea (*on-line*). Las respuestas y comentarios confirmaron lo que había descubierto en las escuelas secundarias: existía conocimiento muy limitado de parte de los americanos acerca de su herencia de libertad. Aunque desalentador al principio, me animó un elemento de los comentarios.

A pesar de que los comentarios demostraban un conocimiento limitado, a la vez demostraban un fuerte interés en saber más, lo cual me llevó a comprender que los americanos tienen gran hambre y sed de comprender clara y detalladamente sus derechos bajo la Constitución. Mis contribuciones escritas se convirtieron en un sitio web personal y el sitio web se convirtió en un programa de radio. Mi programa semanal, *Constitutionally Speaking* (*Hablando Constitucionalmente*) incluía un enfoque diario, *A Minute of Constitutionally Speaking* (*Un Minuto Hablando Constitucionalmente*). *Cápsulas Informativas Constitucionales* es una colección de esos *minutos*.

Lea *Cápsulas Informativas Constitucionales* en Voz Alta

Aunque la colección, *Cápsulas Informativas Constitucionales* (*Constitutional Sound Bites*), está organizada por tema, cada breve escrito tiene su propio valor. Los "minutos" varían de 115 a 170 palabras.

Aunque se puede leer fácilmente en silencio en menos de un minuto, si se lee en voz alta, como en la radio, entonces toma aproximadamente un minuto. Espero que Ud. pruebe esto ya que oír las palabras en voz alta es una experiencia diferente que leerlas en silencio.

Fondo Común en la Constitución

El sitio web, el programa de radio, y este libro todos tienen el mismo propósito: hacer vivir las palabras de la Constitución, y explicar los orígenes, propósitos y filosofía del documento. La lectura de la Constitución teniendo presente los propósitos para gobierno, tales como expresados en la Declaración de Independencia y el Preámbulo, da mayor entendimiento. El conocimiento de los objetivos revela el propósito de las provisiones detalladas. De esta manera, las provisiones dejan de ser simplemente definiciones escritas sobre la estructura de gobierno y se convierten en palabras vivas de las protecciones de libertad.

Quizás lo más importante acerca de la Declaración de Independencia, la Constitución y la Carta de Derechos es que no son documentos Demócratas o Republicanos, no son documentos ni liberales ni conservadores, sino que son documentos americanos. Estos ideales y principios nos pertenecen a todos, sin importar nuestro idioma nativo.

Sobre David J. Shestokas

David Shestokas obtuvo su Licenciatura (*B.A.*) en Artes y Ciencias Políticas de Bradley University y su *Juris Doctorado* (*Juris Doctor*) del John Marshall Law School, *cum laude*, donde también trabajó en el John Marshall Law Review.

Adicionalmente, estudió sistemas legales comparativos en Trinity College en Dublín, Irlanda. Ha sido admitido para ejercer como abogado en ambas cortes estatales y federales en Illinois y en la Florida.

Como fiscal y abogado defensor por más de veinticinco años, él vivió con los principios de la Constitución a diario. En su trabajo como Fiscal Estatal Adjunto para el Condado de Cook en Illinois, presentó en más de 10,000 acciones penales. También participó en investigaciones de la policía e introdujo disposiciones acusatorias en más de 400 casos de felonía.

En 1992, después de que la República de Lituania consiguió su independencia de la Unión Soviética, el Sr. Shestokas se unió a un grupo internacional de abogados de herencia lituana y formó parte del Primer Congreso Mundial de Abogados Lituanos. El Presidente de Lituania, funcionarios del gobierno y la Barra de Abogados Lituanos trabajaron con el Congreso para restaurar la regla de ley y un gobierno constitucional después de cuatro generaciones de ocupación soviética.

El Sr. Shestokas es el autor de la serie *Constitutional Sound Bites* (*Cápsulas Informativas Constitucionales*) que nació de su programa semanal de radio, *Constitutionally Speaking* (*Hablando Constitucionalmente*) y de su sitio web, *Constitutional Legal Education and News* (*Educación Legal Constitucional y Noticias*).

Más de 350,000 personas "visitan" su sitio web anualmente. Los seguidores de sus programas representan diferentes posiciones políticas, económicas, étnicas y filosóficas. Su audiencia es una magnífica mezcla de académicos, maestros, jóvenes estudiantes, inmigrantes, entusiastas de la historia y el público general, que aprecia su estilo directo y fácil de comprender en nuestra forma de comunicar del siglo 21 a la vez que se mantiene fiel a los Fundadores Americanos.

Junto con su trabajo voluntario con el Salvation Army (Ejército de Salvación) donde ofrece servicios *pro bono* a las personas sin hogar (homeless), David también ha prestado su tiempo en el Quality Life Center (Centro para Calidad de Vida) para educar a jóvenes a riesgo sobre los valores fundamentales en la Fundación de América.

El proyecto actual del Sr. Shestokas es una colaboración con la Dra. Berta Isabel Arias, Ex Presidente del Illinois Latino Council on Higher Education (Consejo Latino de Illinois sobre Educación Superior) para traducir al español documentos relacionados con la herencia constitucional de los Estados Unidos.

Sobre Berta Isabel Arias

Berta Isabel Arias, (Doctorado en Educación - *Ed.D.*) es una cubano-americana talentosa en muchas áreas y apremiada durante su carrera ilustre como profesora en idiomas y educación internacional en Illinois. Es una mujer apasionada y dedicada a diversos intereses y su esencia fundamental se observa en sus proyectos en la comunidad para ayudar a otros, dedicándose a traer belleza y comprensión cultural a través de las artes.

Sirvió como la primera presidente de la Junta Directiva del Illinois Latino Council on Higher Education (ILACHE) donde ella ha fundado una beca para Excelencia en Escritura. No satisfecha con solamente ofrecer apoyo financiero, la Dra. Arias ofrece a los estudiantes ganadores su tiempo personal para alcanzar las metas que ellos se han propuesto. En su colaboración con el abogado Dave J. Shestokas en *Cápsulas Informativas Constitucionales* (*Constitutional Sound Bites*) ella utiliza su extenso conocimiento y experiencia en traducción para ayudar a jóvenes latinos mejor integrarse a una vida exitosa en América.

A través de su carrera académica, la Dra. Arias concentró su creatividad en escribir poesía y cortos cuentos. Ahora, en su próxima etapa de la vida, se ha mudado a Isla Amelia, Florida. Allí, cuando no está abogando la protección de la naturaleza, el ambiente, bibliotecas y educación, se dedica a sus nuevas novelas.

Su primer libro, *Lluvia de Mango* (*Mango Rain*) es una historia de intriga, belleza y amor que se desarrolla en Chicago y la Habana y explora la experiencia cubana después de la Revolución Castrista. La precuela (*prequel*), *El Camino de Mimi* (*Mimi's Path*), se publicará en la primavera de 2016.

Visite a la Dra. Arias en su sitio web: bertaariasauthor.com

Reconocimientos

Ningún libro u obra es la creación de una sola persona, y Cápsulas Informativas Constitucionales no es excepción. Esta historia verdaderamente comenzó hace más de quince años cuando mi esposa Elaine sugirió que nosotros dos aprendiéramos español. Tomamos un curso juntos y para practicar el idioma asistíamos a misa en español y desayunábamos después en un barrio mexicano-americano en Chicago conocido como Little Village (Pequeño Pueblo). Sin el interés profundo y continuo de Elaine en el idioma español y la cultura latina, jamás habría nacido Cápsulas Informativas Constitucionales.

Elaine continuó sus estudios en español con cursos bajo la tutela de la Dra. Berta Arias. Una de las oportunidades que se nos presentó a través de sus clases de español fue de viajar a Cuba en un viaje académico organizado por la Dra. Arias con el propósito de estudiar la cultura de ese país y practicar el idioma con hispanohablantes nativos. Durante este viaje, la Dra. Arias y yo comenzamos una amistad que ha durado todos estos años, cual amistad resultaría en nuestro trabajo juntos en este proyecto.

Nuestra colaboración ha sido invaluable en la creación de Cápsulas Informativas Constitucionales dado que la contribución de la Dra. Arias ha sido mucho más que una simple traducción, y a través del proyecto nos consultamos regularmente sobre términos legales, el inglés del siglo 18, las existentes traducciones de los documentos fundadores, y otras consideraciones lingüísticas. El resultado es que este libro no es una sencilla traducción del libro original en inglés sino una representación auténtica en español de mis escritos de lo que es la esencia fundamental de los principios fundadores de América. Sin el conocimiento de la Dra. Arias del idioma y de la cultura latina, este libro no existiría.

Agradecimientos a Jill Horist quien ha sido parte de Cápsulas Informativas Constitucionales a lo largo de este proceso, desde el comienzo del proyecto y mi primera reunión con la Dra. Arias para discutir el proyecto hasta el borrador final.

Agradecimientos también a Turning Point USA, una organización dedicada a enseñar los principios americanos a estudiantes de escuelas secundarias y de universidades alrededor del país. En julio de 2015 Turning Point USA auspició una Cumbre de Liderazgo de Juventud Latina. En esta cumbre, tuve la oportunidad de conversar con 50 líderes jóvenes latinos de todas partes del país acerca de este proyecto, y sus aportaciones y comentarios influyeron mis decisiones de qué incluir en este libro.

Verónica Culbertson de la Cámara de Comercio Hispana del Suroeste de la Florida y Javier Fuller e Ingrid Molina de Fuller Online Solutions también ofrecieron sugerencias importantes al contenido. La Dra. Heather Downey nos proporcionó asistencia editorial. Paul Romanowski de PDR Designs ofreció la idea creativa de ponerles auriculares a los Padres Fundadores. A todos, gracias.

Finalmente, profundas gracias a los Padres Fundadores, y a mis abuelos, Bárbara y John Shestokas, quienes vinieron de Lituania a disfrutar la libertad de América.

Notas Sobre Cápsulas Informativas Constitucionales

(Traducción en español por Berta Isabel Arias de Constitutional Sound Bites por Dave J. Shestokas)

Los documentos fundadores aquí citados en español (La Declaración de Independencia, La Constitución de los Estados Unidos y la Carta de Derechos) fueron traducidos por varias agencias, y el lector de Cápsulas Informativas Constitucionales pronto apreciará la diferencia en algunas frases de las fuentes citadas y las mismas frases en Cápsulas Informativas Constitucionales.

Verán, por ejemplo, que la cita dice "Tribunal Supremo" y en Cápsulas Informativas Constitucionales se habla de "la Corte Suprema," "los Estados Unidos" en la cita y en Cápsulas Informativas Constitucionales, "Estados Unidos." Nuestra traducción mantiene exactitud gramática del idioma a la vez que integra el uso moderno oral y escrito de las frases.

La última nota que se merece mencionar aquí para el lector es que por la estrecha colaboración que se ha mantenido a través de este proyecto, se ha logrado una traducción fiel a la voz de Dave Shestokas de su obra, Constitutional Sound Bites, en español Cápsulas Informativas Constitucionales. Por lo tanto, léase en inglés o español, la información sobre la herencia constitucional de Estados Unidos es igualmente comunicada y, estoy segura, tendrá igual impacto en el lector.

—Berta Isabel Arias

La Declaración de Independencia

Acción del Segundo Congreso Continental, 4 de julio de 1776
La Declaración Unánime de los trece Estados unidos de América

CUANDO en el Curso de los Acontecimientos humanos se hace necesario que un Pueblo disuelva los Lazos Políticos que lo han vinculado a otro y adopte entre los Poderes de la Tierra la Posición igual y separada a la que las Leyes de la Naturaleza y de la Naturaleza de Dios le dan derecho, un Respeto apropiado por la Opinión de la Humanidad exige que dicho pueblo declare los motivos que lo impulsan a la Separación.

Sostenemos que estas Verdades son evidentes en sí mismas: que todos los Hombres son creados iguales, que su Creador los ha dotado de ciertos Derechos inalienables, que entre ellos se encuentran la Vida, la Libertad y la Búsqueda de la Felicidad. Que para asegurar estos Derechos se instituyen Gobiernos entre los Hombres, los cuales derivan sus Poderes legítimos del Consentimiento de los Gobernados; que el Pueblo tiene el derecho de cambiar o abolir cualquier otra Forma de Gobierno que tienda a destruir estos Propósitos, y de instituir un nuevo Gobierno, Fundado en tales Principios, y de organizar sus Poderes en tal Forma que la realización de su Seguridad y Felicidad sean más viables. La Prudencia ciertamente aconsejará que Gobiernos establecidos por bastante tiempo no sean cambiados por Causas triviales y efímeras; y como toda Experiencia lo ha demostrado, la Humanidad está más dispuesta al sufrimiento mientras el Mal sea soportable, que al derecho propio de abolir las Formas a las que se ha acostumbrado. Pero cuando una larga Sucesión de Abusos y Usurpaciones, todos ellos encaminados de manera invariable hacia el mismo Objetivo, revelan la Intención de someter a dicho Pueblo al absoluto Despotismo, es su Derecho, es su Deber, derrocar a tal Gobierno y nombrar nuevos Guardianes de su futura Seguridad. Tal ha sido el paciente Sufrimiento de estas Colonias; y tal es hoy la Necesidad que las obliga a modificar sus anteriores Sistemas de Gobierno. La Crónica del actual Rey de Gran Bretaña es una Crónica de repetidas Injurias y Usurpaciones, todas ellas dirigidas al Establecimiento de una Tiranía absoluta sobre estos Estados. Para probar esto, expongamos los Hechos a un Mundo sincero.

ÉL ha negado su Sanción a Leyes que son íntegras y necesarias para el Bienestar público.

HA prohibido a sus Gobernadores aprobar Leyes de inmediata y apremiante Importancia, a no ser que sea pospuesta su Operación hasta que se obtenga su Sanción; y una vez suspendidas, se ha negado por completo a prestarles atención.

SE ha negado a aprobar otras Leyes para el Asentamiento de Grandes Distritos populares, a menos que esa Gente renunciara a su Derecho de Representación en la Legislatura, un Derecho inestimable para ellos y sólo temible para los Tiranos.

HA convocado a los Cuerpos Legislativos en Sitios inusuales, incómodos y alejados del Depósito de sus Registros públicos, con el solo Propósito de fatigarlos para que cumplan con sus Requerimientos.

HA disuelto las Cámaras de Representantes una y otra vez, por oponerse en forma Decidida a sus Intromisiones en los Derechos del Pueblo.

HA rehusado durante mucho Tiempo, luego de estas Disoluciones, motivar a que otros sean electos, por lo cual los Poderes Legislativos, incapaces de ser Aniquilados, han regresado sin restricciones al Pueblo para su ejercicio; entretanto, el Estado permanecía expuesto a peligros de Invasión externa, y de Convulsiones en el interior.

SE ha esforzado por desalentar la Población de estos Estados; para ese Propósito ha obstaculizado las Leyes de Naturalización de Extranjeros; se ha negado a aprobar otras que alienten la Migración, y ha aumentado las exigencias para las nuevas apropiaciones de Tierras.

HA obstruido la Administración de Justicia, al negarse a emitir su Sanción a las Leyes destinadas a establecer Poderes Judiciales.

HA vuelto dependientes a los Jueces, al lograr que su permanencia en el cargo y el Monto y Pago de sus Salarios dependan exclusivamente de su Voluntad.

HA creado un Sinnúmero de nuevos Despachos, y enviado a nuestras tierras un Enjambre de Funcionarios para hostigar a nuestro Pueblo y apropiarse de sus Frutos.

HA mantenido entre nosotros, en Tiempos de Paz, Ejércitos Permanentes sin el consentimiento de nuestras Legislaturas.

HA causado que el poder Militar se vuelva independiente y se halle por encima del Poder Civil.

SE ha unido a otros para imponernos una Jurisdicción extraña a nuestra Constitución y no reconocida por nuestras Leyes al otorgar su Sanción a sus Actos de pretendida Legislación:

PARA acuartelar numerosos Contingentes de Tropas Armadas entre nosotros:

PARA protegerlas, mediante un Tribunal ficticio, del Castigo por cualquier Asesinato que han de cometer entre los Habitantes de estos Estados:

PARA obstruir nuestro Comercio con otras Partes del Mundo:

PARA aplicarnos Impuestos sin nuestro Consentimiento:

PARA privarnos, en muchos Casos, de los Beneficios de un Juicio por Jurado:

PARA llevarnos a ultramar para ser juzgados por presuntos Delitos:

PARA abolir el Sistema libre de Leyes Inglesas en una Provincia aledaña, estableciendo allí un Gobierno arbitrario, y extendiendo sus Fronteras a fin de convertirlo de inmediato en Ejemplo y adecuado Instrumento para introducir el mismo Gobierno absoluto en estas Colonias:

PARA eliminar nuestras Cartas Constitucionales, abolir nuestras Leyes más valiosas, y alterar fundamentalmente las Formas de nuestros Gobiernos:

PARA suspender nuestras propias Legislaturas y declararse investidos del Poder para legislar por nosotros en todos y cada uno de los Casos.

HA abdicado de su Gobierno sobre estas tierras al declararnos fuera de su Protección y librar una Guerra en contra nuestra.

HA saqueado nuestros Mares, asolado nuestras Costas, quemado nuestros Poblados y destruido las Vidas de nuestra Gente.

EN este Momento ha dispuesto el envío de grandes Ejércitos de Mercenarios extranjeros para culminar su Obra de Muerte, Desolación y Tiranía, iniciada con incidentes de Crueldad y Perfidia difícilmente igualados en las Épocas de mayor barbarie e indignos del Juicio de una Nación civilizada.

HA obligado a nuestros Conciudadanos apresados en alta Mar a levantarse en Armas contra su Patria, a convertirse en Verdugos de sus Amigos y Hermanos, o a caer a Manos de estos.

HA alentado Insurrecciones internas en nuestra contra, y ha tratado de inducir a los Habitantes de nuestras Fronteras, los despiadados Indios

Salvajes, cuya conocida Regla de Lucha es la Destrucción sin distinción de Edad, Sexo ni Condición.

EN cada etapa de estas Opresiones, nosotros hemos Solicitado Compensación en los Términos más humildes: Nuestras repetidas Peticiones sólo han sido respondidas con más Injurias. Un Príncipe, cuyo Carácter está por tanto marcado por cada uno de los actos que definirían a un Tirano, es incapaz de ser el Soberano de un Pueblo libre.

TAMPOCO nos han hecho falta las atenciones hacia nuestros Hermanos británicos. De tanto en tanto, les hemos advertido sobre los Intentos de su Legislatura por ampliar una injustificable Jurisdicción sobre nosotros. Les hemos recordado las Circunstancias de nuestra Emigración y Colonización aquí. Hemos apelado a su natural Justicia y Magnanimidad, y les hemos implorado, por los Lazos de nuestros Antepasados comunes, que rechacen semejantes Usurpaciones, las cuales interrumpían en forma inevitable nuestras Conexiones y Correspondencia. Ellos también han sido sordos a la Voz de la Justicia y de la Consanguinidad. Debemos, en consecuencia, acceder a la Necesidad que augura nuestra Separación, y los consideramos, como al resto de la Humanidad, Enemigos en la Guerra, Amigos en la Paz.

Por lo tanto, nosotros, los Representantes de los Estados unidos de América, reunidos en un Congreso General, apelando al Juez Supremo del Mundo por la Rectitud de nuestras Intenciones, en Nombre y por la Autoridad del virtuoso Pueblo de estas Colonias, solemnemente Publicamos y Declaramos que estas Colonias Unidas son y tienen el Derecho de ser Estados Libres e Independientes; que están exentas de toda Lealtad a la Corona Británica, y que todo nexo político entre ellas y el Estado de Gran Bretaña está y debe ser disuelto; y que como Estados Libres e Independientes tienen todo el Poder de emprender la Guerra, alcanzar la Paz, contraer Alianzas, establecer el Comercio y llevar a cabo todos los otros Actos y Cosas que los Estados Independientes tienen a bien hacer. —Y en apoyo de esta Declaración, con una firme Confianza en la Protección de la divina Providencia, comprometemos unos a otros nuestras Vidas, nuestras Fortunas y nuestro sagrado Honor.

John Hancock

. . .

. . .

Constitución de los Estados Unidos de America

1787

NOSOTROS, el Pueblo de los Estados Unidos, a fin de formar una Unión más perfecta, establecer Justicia, afirmar la tranquilidad interior, proveer la Defensa común, promover el bienestar general y asegurar para nosotros mismos y para nuestros descendientes los beneficios de la Libertad, estatuimos y sancionamos esta CONSTITUCION para los Estados Unidos de América.

Artículo Uno

Primera Sección

Todos los poderes legislativos otorgados en la presente Constitución corresponderán a un Congreso de los Estados Unidos, que se compondrá de un Senado y una Cámara de Representantes.

Segunda Sección

1. La Cámara de Representantes estará formada por miembros elegidos cada dos años por los habitantes de los diversos Estados, y los electores deberán poseer en cada Estado las condiciones requeridas para los electores de la rama mas numerosa de la legislatura local.
2. No será representante ninguna persona que no haya cumplido 25 años de edad y sido ciudadano de los Estados Unidos durante siete años, y que no sea habitante del Estado en el cual se le designe, al tiempo de la elección.
3. (Los representantes y los impuestos directos se prorratearán entre los distintos Estados que formen parte de esta Union, de

acuerdo con su población respectiva, la cual se determinará sumando al número total de personas libres, inclusive las obligadas a prestar servicios durante cierto término de años y excluyendo a los indios no sujetos al pago de contribuciones, las tres quintas partes de todas las personas restantes). El recuento deberá hacerse efectivamente dentro de los tres años siguientes a la primera sesión del Congreso de los Estados Unidos y en lo sucesivo cada 10 años, en la forma que dicho cuerpo disponga por medio de una ley. El número de representantes no excederá de uno por cada 30 mil habitantes con tal que cada Estado cuente con un representante cuando menos; y hasta que se efectúe dicho recuento, el Estado de Nueva Hampshire tendrá derecho a elegir tres; Massachusetts, ocho; Rhode Island y las Plantaciones de Providence, uno; Connecticut, cinco; Nueva York, seis; Nueva Jersey, cuatro; Pennsylvania, ocho; Delaware, uno; Maryland seis; Virginia, diez; Carolina del Norte, cinco; Carolina del Sur, cinco y Georgia, tres.

4. Cuando ocurran vacantes en la representación de cualquier Estado, la autoridad ejecutiva del mismo expedirá un decreto en que se convocará a elecciones con el objeto de llenarlas.
5. La Cámara de Representantes elegirá su presidente y demás funcionarios y será la única facultada para declarar que hay lugar a proceder en los casos de responsabilidades oficiales.

Tercera Sección

1. El Senado de los EE.UU. se compondrá de dos Senadores por cada Estado, elegidos por seis años por la legislatura del mismo, y cada Senador dispondrá de un voto.
2. Tan pronto como se hayan reunido a virtud de la elección inicial, se dividirán en tres grupos tan iguales como sea posible. Las actas de los senadores del primer grupo quedarán vacantes al terminar el segundo año; las del segundo grupo, al expirar el cuarto año y las del tercer grupo, al concluir el sexto año, de tal manera que sea factible elegir una tercera parte cada dos años, y si ocurren vacantes, por renuncia u otra causa, durante el receso de la legislatura de algún Estado, el Ejecutivo de éste podrá hacer designaciones provisionales hasta el siguiente período de sesiones de la legislatura, la que procederá a cubrir dichas vacantes.
3. No será senador ninguna persona que no haya cumplido 30 años

de edad y sido ciudadano de los Estados Unidos durante nueve años y que, al tiempo de la elección, no sea habitante del Estado por parte del cual fue designado.

4. El Vicepresidente de los EE.UU. será presidente del Senado, pero no tendrá voto sino en el caso de empate.
5. El Senado elegirá a sus demás funcionarios, así como un presidente pro tempore, que fungirá en ausencia del Vicepresidente o cuando éste se halle desempeñando la presidencia de los Estados Unidos.
6. El Senado poseerá derecho exclusivo de juzgar sobre todas las acusaciones por responsabilidades oficiales. Cuando se reuna con este objeto, sus miembros deberán prestar un juramento o protesta. Cuando se juzgue al Presidente de los EE.UU deberá presidir el del Tribunal Supremo. Y a ninguna persona se le condenará si no concurre el voto de dos tercios de los miembros presentes.
7. En los casos de responsabilidades oficiales, el alcance de la sentencia no irá más allá de la destitución del cargo y la inhabilitación para ocupar y disfrutar cualquier empleo honorífico, de confianza o remunerado, de los Estados Unidos; pero el individuo condenado quedará sujeto, no obstante, a que se le acuse, enjuicie, juzgue y castigue con arreglo a derecho.

Cuarta Sección

1. Los lugares, épocas y modo de celebrar las elecciones para senadores y representantes se prescribirán en cada Estado por la legislatura respectiva pero el Congreso podrá formular o alterar las reglas de referencia en cualquier tiempo por medio de una ley, excepto en lo tocante a los lugares de elección de los senadores.
2. El Congreso se reunirá una vez al año, y esta reunión será el primer lunes de diciembre, a no ser que por ley se fije otro día.

Quinta Sección

1. Cada Cámara calificará las elecciones, los informes sobre escrutinios y la capacidad legal de sus respectivos miembros, y una mayoría de cada una constituirá el quórum necesario para deliberar; pero un número menor puede suspender las sesiones de un día para otro y estará autorizado para compeler a los miembros ausentes a que asistan, del modo y bajo las penas que determine cada Cámara.

2. Cada Cámara puede elaborar su reglamento interior, castigar a sus miembros cuando se conduzcan indebidamente y expulsarlos de su seno con el asentimiento de las dos terceras partes.
3. Cada Cámara llevará un diario de sus sesiones y lo publicará de tiempo en tiempo a excepción de aquellas partes que a su juicio exijan reserva, y los votos afirmativos y negativos de sus miembros con respecto a cualquier cuestión se harán constar en el diario, a petición de la quinta parte de los presentes.
4. Durante el período de sesiones del Congreso ninguna de las Cámaras puede suspenderlas por mas de tres días ni acordar que se celebrarán en lugar diverso de aquel en que se reúnen ambas Cámaras sin el consentimiento de la otra.

Sexta Sección

1. Los senadores y representantes recibirán por sus servicios una remuneración que será fijada por la ley y pagada por el tesoro de los EE.UU. En todos los casos, exceptuando los de traición, delito grave y perturbación del orden publico, gozarán del privilegio de no ser arrestados durante el tiempo que asistan a las sesiones de sus respectivas Cámaras, así como al ir a ellas o regresar de las mismas, y no podrán ser objeto en ningún otro sitio de inquisición alguna con motivo de cualquier discusión o debate en una de las Cámaras.
2. A ningún senador ni representante se le nombrará, durante el tiempo por el cual haya sido elegido, para ocupar cualquier empleo civil que dependa de los Estados Unidos, que haya sido creado o cuyos emolumentos hayan sido aumentados durante dicho tiempo, y ninguna persona que ocupe un cargo de los Estados Unidos podrá formar parte de las Cámaras mientras continue en funciones.

Séptima Sección

1. Todo proyecto de ley que tenga por objeto la obtención de ingresos deberá proceder primeramente de la Cámara de Representantes; pero el Senado podrá proponer reformas o convenir en ellas de la misma manera que tratándose de otros proyectos.
2. Todo proyecto aprobado por la Cámara de Representantes y el Senado se presentará al Presidente de los Estados Unidos antes de que se convierta en ley; si lo aprobare lo firmará; en caso

contrario lo devolverá, junto con sus objeciones, a la Cámara de su origen, la que insertará integras las objeciones en su diario y procederá a reconsiderarlo. Si después de dicho nuevo examen las dos terceras partes de esa Cámara se pusieren de acuerdo en aprobar el proyecto, se remitirá, acompañado de las objeciones, a la otra Cámara, por la cual será estudiado también nuevamente y, si lo aprobaren los dos tercios de dicha Cámara, se convertirá en ley. Pero en todos los casos de que se habla, la votación de ambas Cámaras será nominal y los nombres de las personas que voten en pro o en contra del proyecto se asentarán en el diario de la Cámara que corresponda. Si algún proyecto no fuera devuelto por el Presidente dentro de 10 días (descontando los domingos) después de haberle sido presentado, se convertirá en ley, de la misma manera que si lo hubiera firmado, a menos de que al suspender el Congreso sus sesiones impidiera su devolución, en cuyo caso no será ley.

3. Toda orden, resolución o votación para la cual sea necesaria la concurrencia del Senado y la Cámara de Representantes (salvo en materia de suspensión de las sesiones), se presentará al Presidente de los Estados Unidos y no tendrá efecto antes de ser aprobada por el o de ser aprobada nuevamente por dos tercios del Senado y de la Cámara de Representantes, en el caso de que la rechazare, de conformidad con las reglas y limitaciones prescritas en el caso de un proyecto de ley.

Octava Sección

1. El Congreso tendrá facultad: Para establecer y recaudar contribuciones, impuestos, derechos y consumos; para pagar las deudas y proveer a la defensa común y bienestar general de los Estados Unidos; pero todos los derechos, impuestos y consumos serán uniformes en todos los Estados Unidos.
2. Para contraer empréstitos a cargo de creditos de los Estados Unidos.
3. Para reglamentar el comercio con las naciones extranjeras, entre los diferentes Estados y con las tribus indias.
4. Para establecer un régimen uniforme de naturalización y leyes uniformes en materia de quiebra en todos los Estados Unidos.
5. Para acuñar monedas y determinar su valor, así como el de la moneda extranjera. Fijar los patrones de las pesas y medidas.

6. Para proveer lo necesario al castigo de quienes falsifiquen los títulos y la moneda corriente de los Estados Unidos.
7. Para establecer oficinas de correos y caminos de posta.
8. Para fomentar el progreso de la ciencia y las artes útiles, asegurando a los autores e inventores, por un tiempo limitado, el derecho exclusivo sobre sus respectivos escritos y descubrimientos.
9. Para crear tribunales inferiores al Tribunal Supremo.
10. Para definir y castigar la piratería y otros delitos graves cometidos en alta mar y violaciones al derecho internacional.
11. Para declarar la guerra, otorgar patentes de corso y represalias y para dictar reglas con relación a las presas de mar y tierra.
12. Para reclutar y sostener ejércitos, pero ninguna autorización presupuestaria de fondos que tengan ese destino será por un plazo superior a dos años.
13. Para habilitar y mantener una armada.
14. Para dictar reglas para el gobierno y ordenanza de las fuerzas navales y terrestres.
15. Para disponer cuando debe convocarse a la milicia nacional con el fin de hacer cumplir las leyes dela Unión, sofocar las insurrecciones y rechazar las invasiones.
16. Para proveer lo necesario para organizar, armar y disciplinar a la milicia nacional y para gobernar aquella parte de esta que se utilice en servicio de los Estados Unidos; reservándose a los Estados correspondientes el nombramiento de los oficiales y la facultad de instruir conforme a la disciplina prescrita por el Congreso.
17. Para legislar en forma exclusiva en todo lo referente al Distrito (que no podrá ser mayor que un cuadrado de 10 millas por lado) que se convierta en sede del gobierno de los Estados Unidos, como consecuencia de la cesión de algunos Estados en que se encuentren situados, para la construcción de fuertes, almacenes, arsenales, astilleros y otros edificios necesarios.
18. Para expedir todas las leyes que sean necesarias y convenientes para llevar a efecto los poderes anteriores y todos los demás que esta Constitución confiere al gobierno de los Estados Unidos o cualquiera de sus departamentos o funcionarios.

Novena Sección

1. El Congreso no podrá prohibir antes del año de mil ochocientos ocho la inmigración o importación de las personas que cualquiera

de los Estados ahora existentes estime oportuno admitir, pero puede imponer sobre dicha importación una contribución o derecho que no pase de 10 dólares por cada persona.

2. El privilegio del habeas corpus no se suspenderá, salvo cuando la seguridad pública lo exija en los casos de rebelión o invasión.
3. No se aplicarán decretos de proscripción ni leyes ex post facto.
4. No se establecerá ningún impuesto directo ni de capitación, como no sea proporcionalmente al censo o recuento que antes se ordeno practicar.
5. Ningún impuesto o derecho se establecerá sobre los artículos que se exporten de cualquier Estado.
6. Los puertos de un Estado no gozarán de preferencia sobre los de ningún otro a virtud de reglamentación alguna mercantil o fiscal; tampoco las embarcaciones que se dirijan a un Estado o procedan de él estarán obligadas a ingresar por algún otro, despachar en el sus documentos o cubrirle derechos.
7. Ninguna cantidad podrá extraerse del tesoro si no es como consecuencia de asignaciones autorizadas por la ley, y de tiempo en tiempo deberá publicarse un estado y cuenta ordenados de los ingresos y gastos del tesoro.
8. Los Estados Unidos no concederán ningún título de nobleza y ninguna persona que ocupe un empleo remunerado u honorífico que dependa de ellos aceptará ningún regalo, emolumento, empleo o título, sea de la clase que fuere, de cualquier monarca, principe o Estado extranjero, sin consentimiento del Congreso.

Décima Sección

1. Ningún Estado celebrará tratado, alianza o confederación algunos; otorgará patentes de corso y represalias; acuñara moneda, emitirá papel moneda, legalizará cualquier cosa que no sea la moneda de oro y plata como medio de pago de las deudas; aprobará decretos por los que se castigue a determinadas personas sin que preceda juicio ante los tribunales, leyes ex post facto o leyes que menoscaben las obligaciones que derivan de los contratos, ni concederá título alguno de nobleza.
2. Sin el consentimiento del Congreso ningún Estado podrá imponer derechos sobre los artículos importados o exportados, cumplir sus leyes de inspección, y el producto neto de todos los derechos e impuestos que establezcan los Estados sobre las importaciones

y exportaciones se aplicará en provecho del tesoro de los Estados Unidos; y todas las leyes de que se trata estarán sujetas a la revisión y vigilancia del Congreso.

3. Sin dicho consentimiento del Congreso ningún Estado podrá establecer derechos de tonelaje, mantener tropas o navíos de guerra en tiempo de paz, celebrar convenio o pacto alguno con otro Estado o con una potencia extranjera, o hacer la guerra, a menos de ser invadido realmente o de hallarse en peligro tan inminente que no admita demora.

Artículo Dos

Primera Sección

1. Se deposita el poder ejecutivo en un Presidente de los Estados Unidos. Desempeñara su encargo durante un término de cuatro años y, juntamente con el Vicepresidente designado para el mismo período, será elegido como sigue:
2. Cada Estado nombrará, del modo que su legislatura disponga, un número de electores igual al total de los senadores y representantes a que el Estado tenga derecho en el Congreso, pero ningún senador, ni representante, ni persona que ocupe un empleo honorífico o remunerado de los Estado Unidos podrá ser designado como elector.
3. El Congreso podrá fijar la época de designación de los electores, así como el día en que deberán emitir sus votos, el cual deberá ser el mismo en todos los Estados Unidos.
4. Solo las personas que sean ciudadanos por nacimiento o que hayan sido ciudadanos de los Estados Unidos al tiempo de adoptarse esta Constitución, serán elegibles para el cargo de Presidente; tampoco será elegible una persona que no haya cumplido 35 años de edad y que no haya residido 14 años en los Estados Unidos.
5. En caso de que el Presidente sea separado de su puesto, de que muera, renuncie o se incapacite para dar cumplimiento a los poderes y deberes del referido cargo, este pasará al Vicepresidente y el Congreso podrá preveer por medio de una ley el caso de separación, muerte, renuncia o incapacidad, tanto del Presidente como del Vicepresidente, y declarar que funcionario fungirá como Presidente hasta que desaparezca la causa de incapacidad o se elija un Presidente.

6. El Presidente recibirá una remuneración por sus servicios, en las épocas que se determinarán, la cual no podrá ser aumentada ni disminuida durante el período para el cual haya sido designado y no podrá recibir durante ese tiempo ningún otro emolumento de parte de los Estados Unidos o de cualquiera de estos.
7. Antes de entrar a desempeñar su cargo prestará el siguiente juramento o protesta: "Juro (o protesto) solemnemente que desempeñaré legalmente el cargo de Presidente de los Estados Unidos y que sostendré, protegeré y defenderé la Constitución de los Estados Unidos, empleando en ello el máximo de mis facultades".

Segunda Sección

1. El Presidente será comandante en jefe del ejercito y la marina de los Estados Unidos y de la milicia de los diversos Estados cuando se la llame al servicio activo de los Estados Unidos; podrá solicitar la opinión por escrito del funcionario principal de cada uno de los departamentos administrativos con relación a cualquier asunto que se relacione con los deberes de sus respectivos empleos, y estará facultado para suspender la ejecución de las sentencias y para conceder indultos tratándose de delitos contra los Estados Unidos, excepto en los casos de acusación por responsabilidades oficiales.
2. Tendrá facultad, con el consejo y consentimiento del Senado, para celebrar tratados, con tal de que den su anuencia dos tercios de los senadores presentes, y propondrá y, con el consejo y sentimiento del Senado, nombrará a los embajadores, los demás ministros públicos y los cónsules, los jueces del Tribunal Supremo y a todos los demás funcionarios de los Estados Unidos a cuya designación no provea este documento en otra forma y que hayan sido establecidos por ley. Pero el Congreso podrá atribuir el nombramiento de los funcionarios inferiores que considere convenientes, por medio de una ley, al Presidente solo, a los tribunales judiciales o a los jefes de los departamentos.
3. El Presidente tendrá el derecho de cubrir todas las vacantes que ocurran durante el receso del Senado, extendiendo nombramientos provisionales que terminarán al final del siguiente período de sesiones.

Tercera Sección
Periódicamente deberá proporcionar al Congreso informes sobre el estado de la Unión, recomendando a su consideración las medidas que estime necesarias y oportunas; en ocasiones de carácter extraordinario podrá convocar a ambas Cámaras o a cualquiera de ellas, y en el supuesto de que discrepen en cuanto a la fecha en que deban entrar en receso, podrá suspender sus sesiones, fijándoles para que las reanuden la fecha que considere conveniente; recibirá a los embajadores y otros ministros públicos; cuidará de que las leyes se ejecuten puntualmente y extenderá los despachos de todos los funcionarios de los Estados Unidos.

Cuarta Sección
El Presidente, el Vicepresidente y todos los funcionarios civiles de los Estados Unidos serán separados de sus puestos al ser acusados y declarados culpables de traición, cohecho u otros delitos y faltas graves.

Artículo Tres

Primera Sección

1. Se depositará el poder judicial de los Estados Unidos en un Tribunal Supremo y en los tribunales inferiores que el Congreso instituya y establezca en lo sucesivo. Los jueces, tanto del Tribunal Supremo como de los inferiores, continuarán en sus funciones mientras observen buena conducta y recibirán en periodos fijos, una remuneración por sus servicios que no será disminuida durante el tiempo de su encargo.

Segunda Sección

1. El Poder Judicial entenderá en todas las controversias, tanto de derecho escrito como de equidad, que surjan como consecuencia de esta Constitución, de las leyes de los Estados Unidos y de los tratados celebrados o que se celebren bajo su autoridad; en todas las controversias que se relacionen con embajadores, otros ministros públicos y cónsules; en todas las controversias de la jurisdicción de almirantazgo y marítima; en las controversias en que sean parte los Estados Unidos; en las controversias entre dos o mas Estados, entre un Estado y los ciudadanos de otro, entre ciudadanos de Estados diferentes, entre ciudadanos del mismo

Estado que reclamen tierras en virtud de concesiones de diferentes Estados y entre un Estado o los ciudadanos del mismo y Estados, ciudadanos o súbditos extranjeros.

2. En todos los casos relativos a embajadores, otros ministros públicos y cónsules, así como en aquellos en que sea parte un Estado, el Tribunal Supremo poseerá jurisdicción en única instancia. En todos los demás casos que antes se mencionaron el Tribunal Supremo conocerá en apelación, tanto del derecho como de los hechos, con las excepciones y con arreglo a la reglamentación que formule el Congreso.
3. Todos los delitos serán juzgados por medio de un jurado excepto en los casos de acusación por responsabilidades oficiales, y el juicio de que se habla tendrá lugar en el Estado en que el delito se haya cometido; pero cuando no se haya cometido dentro de los límites de ningún Estado, el juicio se celebrará en el lugar o lugares que el Congreso haya dispuesto por medio de una ley.

Tercera Sección

1. La traición contra los Estados Unidos sólo consistirá en hacer la guerra en su contra o en unirse a sus enemigos, impartiéndoles ayuda y protección. A ninguna persona se le condenará por traición si no es sobre la base de la declaración de los testigos que hayan presenciado el mismo acto perpetrado abiertamente o de una confesión en sesión pública de un tribunal.
2. El Congreso estará facultado para fijar la pena que corresponda a la traición; pero ninguna sentencia por causa de traición podrá privar del derecho de heredar o de transmitir bienes por herencia, ni producirá la confiscación de sus bienes más que en vida de la persona condenada.

Artículo Cuarto

Primera Sección

Se dará entera fe y crédito en cada Estado a los actos públicos, registros y procedimientos judiciales de todos los demás. Y el Congreso podrá prescribir, mediante leyes generales, la forma en que dichos actos, registros y procedimientos se probarán y el efecto que producirán.

Segunda Sección

1. Los ciudadanos de cada Estado tendrán derecho en los demás a todos los privilegios e inmunidades de los ciudadanos de estos.
2. La persona acusada en cualquier Estado por traición, delito grave u otro crimen, que huya de la justicia y fuere hallada en otro Estado, será entregada, al solicitarlo así la autoridad ejecutiva del Estado del que se haya fugado, con el objeto de que sea conducida al Estado que posea jurisdicción sobre el delito.
3. Las personas obligadas a servir o laborar en un Estado, con arreglo a las leyes de éste, que escapen a otros, no quedarán liberadas de dichos servicios o trabajo a consecuencia de cualesquiera leyes o reglamentos del segundo, sino que serán entregadas al reclamarlo la parte interesada a quien se deba tal servicio o trabajo.

Tercera Sección

1. El Congreso podrá admitir nuevos Estados a la Unión, pero ningún nuevo Estado podrá formarse o erigirse dentro de los limites de otro Estado, ni un Estado constituirse mediante la reunión de dos o más Estados o partes de Estados, sin el consentimiento de las legislaturas de los Estados en cuestión, así como del Congreso.
2. El Congreso tendrá facultad para ejecutar actos de disposición y para formular todos los reglamentos y reglas que sean precisos con respecto a las tierras y otros bienes que pertenezcan a los Estados Unidos, y nada de lo que esta Constitución contiene se interpretará en un sentido que cause perjuicio a los derechos aducidos por los Estados Unidos o por cualquier Estado individual.

Cuarta Sección

Los Estados Unidos garantizarán a todo Estado comprendido en esta Unión una forma republicana de gobierno y protegerán a cada uno en contra de invasiones, así como contra los disturbios internos, cuando lo soliciten la legislatura o el ejecutivo (en caso de que no fuese posible reunir a la legislatura).

Artículo Cinco

Siempre que las dos terceras partes de ambas Cámaras lo juzguen necesario, el Congreso propondrá enmiendas a esta Constitución, o bien, a solicitud de las legislaturas de los dos tercios de los distintos Estados, convocará una convención con el objeto de que proponga enmiendas, las cuales, en uno y otro caso, poseerán la misma validez que si fueran parte de esta Constitución, desde todos los puntos de vista y para cualesquiera fines, una vez que hayan sido ratificadas por las legislaturas de las tres cuartas partes de los Estados separadamente o por medio de convenciones reunidas en tres cuartos de los mismos, según que el Congreso haya propuesto uno u otro modo de hacer la ratificación, y a condición de que antes del año de mil ochocientos ocho no podrá hacerse ninguna enmienda que modifique en cualquier forma las cláusulas primera y cuarta de la sección novena del artículo primero y de que a ningún Estado se le privará, sin su consentimiento, de la igualdad de voto en el Senado.

Artículo Seis

1. Todas las deudas contraídas y los compromisos adquiridos antes de la adopción de esta Constitución serán tan válidos en contra de los Estados Unidos bajo el imperio de esta Constitución, como bajo el de la Confederación.
2. Esta Constitución, y las leyes de los Estados Unidos que se expidan con arreglo a ella, y todos los tratados celebrados o que se celebren bajo la autoridad de los Estados Unidos, serán la suprema ley del país y los jueces de cada Estado estarán obligados a observarlos, a pesar de cualquier cosa en contrario que se encuentre en la Constitución o las leyes de cualquier Estado.
3. Los Senadores y representantes ya mencionados, los miembros de las distintas legislaturas locales y todos los funcionarios ejecutivos y judiciales, tanto de los Estados Unidos como de los diversos Estados, se obligarán mediante juramento o protesta a sostener esta Constitución; pero nunca se exigirá una declaración religiosa como condición para ocupar ningún empleo o mandato público de los Estados Unidos.

Artículo Siete

La ratificación por las convenciones de nueve Estados bastará para que esta Constitución entre en vigor por lo que respecta a los Estados que la ratifiquen.

Dado en la convención, por consentimiento unánime de los Estados presentes, el día 17 de septiembre del año de Nuestro Señor de mil setecientos ochenta y siete y duodécimo de la Independencia de los Estados Unidos de América.

Enmiendas

Artículos adicionales a, y Enmienda de, la Constitución de los Estados Unidos de América, Propuestos por el Congreso, y Ratificados por los varios Estados, de acuerdo con el Artículo Quinto de la Constitución Original.

(*Las diez primeras enmiendas, La Carta de Derechos, fueron ratificadas efectivamente en Diciembre 15, 1791.*)

Enmienda I

El Congreso no hará ley alguna por la que adopte una religión como oficial del Estado o se prohiba practicarla libremente, o que coarte la libertad de palabra o de imprenta, o el derecho del pueblo para reunirse pacíficamente y para pedir al gobierno la reparación de agravios.

Enmienda II

Siendo necesaria una milicia bien ordenada para la seguridad de un Estado Libre, no se violará el derecho del pueblo a poseer y portar armas.

Enmienda III

En tiempo de paz a ningún militar se le alojará en casa alguna sin el consentimiento del propietario; ni en tiempo de guerra, como no sea en la forma que prescriba la ley.

Enmienda IV

El derecho de los habitantes de que sus personas, domicilios, papeles y efectos se hallen a salvo de pesquisas y aprehensiones arbitrarias, será inviolable, y no se expedirán al efecto mandamientos que no se apoyen en un motivo verosímil, estén corroborados mediante juramento o protesta y describan con particularidad el lugar que deba ser registrado y las personas o cosas que han de ser detenidas o embargadas.

Enmienda V

Nadie estará obligado a responder de un delito castigado con la pena capital o con otra infamante si un gran jurado no lo denuncia o acusa, a excepción de los casos que se presenten en las fuerzas de mar o tierra o en la milicia nacional cuando se encuentre en servicio efectivo en tiempo de guerra o peligro público; tampoco se pondrá a persona alguna dos veces en peligro de perder la vida o algún miembro con motivo del mismo delito; ni se le compelerá a declarar contra sí misma en ningún juicio criminal; ni se le privará de la vida, la libertad o la propiedad sin el debido proceso legal; ni se ocupará la propiedad privada para uso público sin una justa indemnización.

Enmienda VI

En toda causa criminal, el acusado gozará del derecho de ser juzgado rápidamente y en público por un jurado imparcial del distrito y Estado en que el delito se haya cometido, Distrito que deberá haber sido determinado previamente por la ley; así como de que se le haga saber la naturaleza y causa de la acusación, de que se le caree con los testigos que depongan en su contra, de que se obligue a comparecer a los testigos que le favorezcan y de contar con la ayuda de un abogado que lo defienda.

Enmienda VII

El derecho a que se ventilen ante un jurado los juicios de derecho consuetudinario en que el valor que se discuta exceda de veinte dólares, será garantizado, y ningún hecho de que haya conocido un jurado será objeto de nuevo examen en tribunal alguno de los Estados Unidos, como no sea con arreglo a las normas del derecho consuetudinario.

Enmienda VIII

No se exigirán fianzas excesivas, ni se impondrán multas excesivas, ni se infligirán penas crueles y desusadas.

Enmienda IX

No por el hecho de que la Constitución enumera ciertos derechos ha de entenderse que niega o menosprecia otros que retiene el pueblo.

Enmienda X

Los poderes que la Constitución no delega a los Estados Unidos ni prohibe a los Estados, queda reservados a los Estados respectivamente o al pueblo.

Enmienda XI

(febrero 7, 1795)

El poder judicial de los Estados Unidos no debe interpretarse que se extiende a cualquier litigio de derecho estricto o de equidad que se inicie o prosiga contra uno de los Estados Unidos por ciudadanos de otro Estado o por ciudadanos o súbditos de cualquier Estado extranjero.

Enmienda XII

(junio 15, 1804)

Los electores se reunirán en sus respectivos Estados y votarán mediante cédulas para Presidente y Vicepresidente, uno de los cuales, cuando menos, no deberá ser habitante del mismo Estado que ellos; en sus cédulas indicarán la persona a favor de la cual votan para Presidente y en cédulas diferentes la persona que eligen para Vicepresidente, y formarán listas separadas de todas las personas que reciban votos para Presidente y de todas las personas a cuyo favor se vote para Vicepresidente y del número de votos que corresponda a cada una, y firmarán y certificarán las referidas listas y las remitirán selladas a la sede de gobierno de los Estados Unidos, dirigidas al presidente del Senado; el Presidente del Senado abrirá todos los certificados en presencia del Senado y de la Cámara de Representantes, después de lo cual se contarán los votos; la persona que tenga el mayor número de votos para Presidente será Presidente, siempre que dicho número represente la mayoría de todos los electores nombrados, y si ninguna persona tiene mayoría, entonces la Cámara de Representantes, votando por cédulas, escogerá inmediatamente el Presidente de entre las tres personas que figuren en la lista de quienes han recibido sufragio para Presidente y cuenten con más votos. Téngase presente que al elegir al Presidente la votación se hará por Estados y que la representación de cada Estado gozará de un voto; que para este objeto habrá quórum cuando estén presentes el miembro o los miembros que representen a los dos tercios de los Estados y que será necesaria mayoría de todos los Estados para que se tenga por hecha la elección. Y si la Cámara de Representantes no eligiere Presidente, en los casos en que pase a ella el derecho de escogerlo, antes del día cuatro de marzo inmediato siguiente, entonces el Vicepresidente actuará como Presidente, de la misma manera que en el caso de muerte o de otro impedimento constitucional del Presidente.

La persona que obtenga el mayor número de votos para Vicepresidente será Vicepresidente, siempre que dicho número represente la mayoría de todos los electores nombrados, y si ninguna persona reúne la mayoría, entonces el Senado escogerá al Vicepresidente entre las dos con mayor cantidad de votos que figuran en la lista; para este objeto habrá quórum con las dos terceras partes del número total de senadores y será necesaria la mayoría del número total para que la elección se tenga por hecha.

Pero ninguna persona inelegible para el cargo de Presidente con arreglo a la Constitución será elegible para el de Vicepresidente de los Estados Unidos.

Enmienda XIII

(diciembre 6, 1865)

1. Ni en los Estados Unidos ni en ningún lugar sujeto a su jurisdicción habrá esclavitud ni trabajo forzado, excepto como castigo de un delito del que el responsable haya quedado debidamente convicto.
2. El Congreso estará facultado para hacer cumplir este artículo por medio de leyes apropiadas.

Enmienda XIV

(julio 9, 1868)

1. Todas las personas nacidas o naturalizadas en los Estados Unidos y sometidas a su jurisdicción son ciudadanos de los Estados Unidos y de los Estados en que residen. Ningún Estado podrá dictar ni dar efecto a cualquier ley que limite los privilegios o inmunidades de los ciudadanos de los Estados Unidos; tampoco podrá Estado alguno privar a cualquier persona de la vida, la libertad o la propiedad sin el debido proceso legal; ni negar a cualquier persona que se encuentre dentro de sus limites jurisdiccionales la protección de las leyes, igual para todos.
2. Los representantes se distribuirán proporcionalmente entre los diversos Estados de acuerdo con su población respectiva, en la que se tomará en cuenta el número total de personas que haya en cada Estado, con excepción de los indios que no paguen contribuciones. Pero cuando a los habitantes varones de un Estado que tengan veintiún años de edad y sean ciudadanos de los Estados Unidos se les niegue o se les coarte en la forma que sea el derecho de votar en cualquier elección en que se trate de escoger a los electores para Presidente y Vicepresidente de los Estados Unidos, a los representantes del Congreso, a los funcionarios ejecutivos y judiciales de un Estado o a los miembros de su legislatura, excepto

con motivo de su participación en una rebelión o en algún otro delito, la base de la representación de dicho Estado se reducirá en la misma proporción en que se halle el número de los ciudadanos varones a que se hace referencia, con el número total de ciudadanos varones de veintiún años del repetido Estado.

3. Las personas que habiendo prestado juramento previamente en calidad de miembros del Congreso, o de funcionarios de los Estados Unidos, o de miembros de cualquier legislatura local, o como funcionarios ejecutivos o judiciales de cualquier Estado, de que sostendrían la Constitución de los Estados Unidos, hubieran participado de una insurrección o rebelión en contra de ella o proporcionando ayuda o protección a sus enemigos no podrán ser senadores o representantes en el Congreso, ni electores del Presidente o Vicepresidente, ni ocupar ningún empleo civil o militar que dependa de los Estados Unidos o de alguno de los Estados. Pero el Congreso puede derogar tal interdicción por el voto de los dos tercios de cada Cámara.
4. La validez de la deuda pública de los Estados Unidos que este autorizada por la ley, inclusive las deudas contraídas para el pago de pensiones y recompensas por servicios prestados al sofocar insurrecciones o rebeliones, será incuestionable. Pero ni los Estados Unidos ni ningún Estado asumirán ni pagarán deuda u obligación alguna contraídas para ayuda de insurrecciones o rebeliones contra los Estados Unidos, como tampoco reclamación alguna con motivo de la pérdida o emancipación de esclavos, pues todas las deudas, obligaciones y reclamaciones de esa especie se considerarán ilegales y nulas.
5. El Congreso tendrá facultades para hacer cumplir las disposiciones de este artículo por medio de leyes apropiadas.

Enmienda XV

(febrero 3, 1870)

1. Ni los Estados Unidos, ni ningún otro Estado, podrán desconocer ni menoscabar el derecho de sufragio de los ciudadanos de los Estados Unidos por motivo de raza, color o de su condición anterior de esclavos.
2. El Congreso estará facultado para hacer cumplir este artículo mediante leyes apropiadas.

Enmienda XVI

(febrero 3, 1913)

El Congreso tendrá facultades para establecer y recaudar impuestos sobre los ingresos, sea cual fuere la fuente de que provengan, sin prorratearlos entre los diferentes Estados y sin atender a ningún censo o recuento.

Enmienda XVII

(abril 8, 1913)

1. El Senado de los Estados Unidos se compondrá de dos senadores por cada Estado, elegidos por los habitantes del mismo por seis años, y cada senador dispondrá de un voto. Los electores de cada Estado deberán poseer las condiciones requeridas para los electores de la rama mas numerosa de la legislatura local.
2. Cuando ocurran vacantes en la representación de cualquier Estado en el Senado, la autoridad ejecutiva de aquel expedirá un decreto en que convocará a elecciones con el objeto de cubrir dichas vacantes, en la inteligencia de que la legislatura de cualquier Estado puede autorizar a su Ejecutivo a hacer un nombramiento provisional hasta tanto que las vacantes se cubran mediante elecciones populares en la forma que disponga la legislatura.
3. No deberá entenderse que esta enmienda influye sobre la elección o período de cualquier senador elegido antes de que adquiera validez como parte integrante de la Constitución.

Enmienda XVIII

(enero 16, 1919)

1. Un año después de la ratificación de este artículo quedará prohibida por el presente la fabricación, venta o transporte de licores embriagantes dentro de los Estados Unidos y de todos los territorios sometidos a su jurisdicción, así como su importación a los mismos o su exportación de ellos, con el propósito de usarlos como bebidas.
2. El Congreso y los diversos Estados poseerán facultades concurrentes para hacer cumplir este artículo mediante leyes apropiadas.
3. Este artículo no entrara en vigor a menos de que sea ratificado con el carácter de enmienda a la Constitución por las legislaturas de los distintos Estados en la forma prevista por la Constitución y dentro de los siete años siguientes a la fecha en que el Congreso lo someta a los Estados.

Enmienda XIX

(agosto 18, 1920)

1. El derecho de sufragio de los ciudadanos de los Estados Unidos no será desconocido ni limitado por los Estados Unidos o por Estado alguno por razón de sexo.
2. El Congreso estará facultado para hacer cumplir este artículo por medio de leyes apropiadas.

Enmienda XX

(enero 23, 1933)

1. Los períodos del Presidente y el Vicepresidente terminarán al medio día del veinte de enero y los períodos de los senadores y representantes al medio día del tres de enero, de los años en que dichos períodos habrían terminado si este artículo no hubiera sido ratificado, y en ese momento principiarán los períodos de sus sucesores.
2. El Congreso se reunirá, cuando menos, una vez cada año y dicho período de sesiones se iniciará al mediodía del tres de enero, a no ser que por medio de una ley fije una fecha diferente.
3. Si el Presidente electo hubiera muerto en el momento fijado para el comienzo del período presidencial, el Vicepresidente electo será Presidente. Si antes del momento fijado para el comienzo de su período no se hubiere elegido Presidente o si el Presidente electo no llenare los requisitos exigidos, entonces el Vicepresidente electo fungirá como Presidente electo hasta que haya un Presidente idóneo, y el Congreso podrá prever por medio de una ley el caso de que ni el Presidente electo ni el Vicepresidente electo satisfagan los requisitos constitucionales, declarando quien hará las veces de Presidente en ese supuesto o la forma en que se escogerá a la persona que habrá de actuar como tal, y la referida persona actuará con ese carácter hasta que se cuente con un Presidente o un Vicepresidente que reuna las condiciones legales.
4. El Congreso podrá preveer mediante una ley el caso de que muera cualquiera de las personas de las cuales la Cámara de Representantes está facultada para elegir Presidente cuando le corresponda el derecho de elección, así como el caso de que muera alguna de las personas entre las cuales el Senado está facultado para escoger Vicepresidente cuando pasa a el el derecho de elegir.

5. Las secciones 1 y 2 entrarán en vigor el día quince de octubre siguiente a la ratificación de este artículo.
6. Este artículo quedará sin efecto a menos de que sea ratificado como enmienda a la Constitución por las legislaturas de las tres cuartas partes de los distintos Estados, dentro de los siete años posteriores a la fecha en que se les someta.

Enmienda XXI

(diciembre 5, 1933)

1. Queda derogado por el presente el decimoctavo de los artículos de enmienda a la Constitución de los Estados Unidos.
2. Se prohibe por el presente que se transporte o importen licores embriagantes a cualquier Estado, Territorio o posesión de los Estados Unidos, para ser entregados o utilizados en su interior con violación de sus respectivas leyes.
3. Este artículo quedará sin efecto a menos de que sea ratificado como enmienda a la Constitución por convenciones que se celebrarán en los diversos Estados, en la forma prevista por la Constitución, dentro de los siete años siguientes a la fecha en que el Congreso lo someta a los Estados.

Enmienda XXII

(febrero 27, 1951)

1. No se elegirá a la misma persona para el cargo de Presidente más de dos veces, ni más de una vez a la persona que haya desempeñado dicho cargo o que haya actuado como Presidente durante más de dos años de un período para el que se haya elegido como Presidente a otra persona. El presente artículo no se aplicará a la persona que ocupaba el puesto de Presidente cuando el mismo se propuso por el Congreso, ni impedirá que la persona que desempeñe dicho cargo o que actúe como Presidente durante el período en que el repetido artículo entre en vigor, desempeñe el puesto de Presidente o actúe como tal durante el resto del referido período.
2. Este artículo quedará sin efecto a menos de que las legislaturas de tres cuartas partes de los diversos Estados lo ratifiquen como enmienda a la Constitución dentro de los siete años siguientes a la fecha en que el Congreso los someta a los Estados.

Enmienda XXIII

(marzo 29, 1961)

1. El distrito que constituye la Sede del Gobierno de los Estados Unidos nombrará, según disponga el Congreso:

   Un número de electores para elegir al Presidente y al Vicepresidente, igual al número total de Senadores y Representantes ante el Congreso al que el Distrito tendría derecho si fuere un Estado, pero en ningún caso será dicho número mayor que el del Estado de menos población; estos electores se sumarán al número de aquellos electores nombrados por los Estados, pero para fines de la elección del Presidente y del Vicepresidente, serán considerados como electores nombrados por un Estado; celebrarán sus reuniones en el Distrito y cumplirán con los deberes que se estipulan en la Enmienda XII.
2. El Congreso queda facultado para poner en vigor este artículo por medio de legislación adecuada.

Enmienda XXIV

(enero 23, 1964)

1. Ni los Estados Unidos ni ningún Estado podrán denegar o coartar a los ciudadanos de los Estados Unidos el derecho al sufragio en cualquier elección primaria o de otra clase para Presidente o Vicepresidente, para electores para elegir al Presidente o al Vicepresidente o para Senador o Representante ante el Congreso, por motivo de no haber pagado un impuesto electoral o cualquier otro impuesto.
2. El Congreso queda facultado para poner en vigor este artículo por medio de legislación adecuada.

Enmienda XXV

(febrero 10, 1967)

1. En caso de que el Presidente sea dispuesto de su cargo, o en caso de su muerte o renuncia, el Vicepresidente será nombrado Presidente.
2. Cuando el puesto de Vicepresidente estuviera vacante, el Presidente nombrará un Vicepresidente que tomará posesión de su cargo al ser confirmado por voto mayoritario de ambas Cámaras del Congreso.
3. Cuando el Presidente transmitiera al Presidente pro tempore del

Senado y al Presidente de Debates de la Cámara de Diputados su declaración escrita de que está imposibilitado de desempeñar los derechos y deberes de su cargo, y mientras no transmitiere a ellos una declaración escrita en sentido contrario, tales derechos y deberes serán desempeñados por el Vicepresidente como Presidente en funciones.

4. Cuando el Vicepresidente y la mayoría de los principales funcionarios de los departamentos ejecutivos o de cualquier otro cuerpo que el Congreso autorizara por ley trasmitieran al Presidente pro tempore del Senado y al Presidente de Debates de la Cámara de Diputados su declaración escrita de que el Presidente esta imposibilitado de ejercer los derechos y deberes de su cargo, el Vicepresidente inmediatamente asumirá los derechos y deberes del cargo como Presidente en funciones.

Por consiguiente, cuando el Presidente transmitiera al Presidente pro tempore del Senado y al Presidente de Debates de la Cámara de Diputados su declaración escrita de que no existe imposibilidad alguna, asumirá de nuevo los derechos y deberes de su cargo, a menos que el Vicepresidente y la mayoría de los funcionarios principales de los departamentos ejecutivos o de cualquier otro cuerpo que el Congreso haya autorizado por ley transmitieran en el término de cuatro días al Presidente pro tempore del Senado y al Presidente de Debates de la Cámara de Diputados su declaración escrita de que el Presidente está imposibilitado de ejercer los derechos y deberes de su cargo. Luego entonces, el Congreso decidirá que solución debe adoptarse, para lo cual se reunirá en el término de cuarenta y ocho horas, si no estuviera en sesión. Si el Congreso, en el término de veintiún días de recibida la ulterior declaración escrita o, de no estar en sesión, dentro de los veintiún días de haber sido convocado a reunirse, determinará por voto de las dos terceras partes de ambas Cámaras que el Presidente está imposibilitado de ejercer los derechos y deberes de su cargo, el Vicepresidente continuará desempeñando el cargo como Presidente Actuante; de lo contrario, el Presidente asumirá de nuevo los derechos y deberes de su cargo.

Enmienda XVI

(1971)

1. El derecho a votar de los ciudadanos de los Estado Unidos, de dieciocho años de edad o más, no será negado o menguado ni por los Estados Unidos ni por ningún Estado a causa de la edad.
2. El Congreso tendrá poder para hacer valer este artículo mediante la legislación adecuada.

Enmienda XVII

(1992)

Ninguna ley que se relacione a la remuneración de los servicios de los senadores y representantes tendrá efecto hasta después de que se haya realizado una elección de representantes.

(Source United States National Archives,
http://www.archives.gov/espanol/constitucion.html)
NOTA: Las versiones en español de los documentos fundadores son traducciones por el Departamento de Estado de Estados Unidos, Dirección de Programas Informativos Internacionales (http://photos.state.gov/libraries/adana/30145/publications-other-lang/SPANISH.pdf) o el Cato Institute (http://www.cato.org/pubs/constitution/declaration_sp.html) y se citan textualmente.

Bibliografía Seleccionada

Los siguientes libros son importantes recursos sobre los Documentos Fundadores y la herencia cultural de Estados Unidos. Aunque estas fuentes son de mucho valor al lector de inglés que quiere aprender más, ninguna está disponible en español. Cápsulas Informativas Constitucionales es la primera obra que aborda las crecientes necesidades de americanos hispanohablantes de mejor comprender la filosofía, los derechos y las protecciones que existen en estos importantes documentos.

Adams, John, *John Adams: Revolutionary Writings 1775–1783*, Library of America; 1st edition (March 31, 2011)

Amar, Akhil Reed, *The Constitution and Criminal Procedure: First Principles*, Yale University Press (March 30, 1998)

Amar, Akhil Reed, *The Bill of Rights: Creation and Reconstruction*, Yale University Press (April 1, 2000)

Amar, Akhil Reed, *America's Constitution: A Biography*, Random House; 1st Edition (August 18, 2010)

Amar, Akhil Reed, *America's Unwritten Constitution: The Precedents and Principles We Live By*, Basic Books; Reprint edition (January 6, 2015)

Barnett, Randy, *Rights Retained by the People: The History and Meaning of the Ninth Amendment*, University Publishers Assn (November 27, 1989)

Berkin, Carol, *A Brilliant Solution: Inventing the American Constitution*, Mariner Books; Reprint edition (October 20, 2003)

Bowenun, Catherine Drinker, *Miracle At Philadelphia: The Story of the Constitutional Convention May–September 1787*, Back Bay Books; 1st edition (September 30, 1986)

Commission on the Bicentennial of the United States Constitution, *1791–1991, The Bill of Rights and Beyond*, (1991)

Cogan, Neil H., Editor *The Complete Bill of Rights*, Oxford University Press, Oxford, (1997)

De Tocqueville, Alexis, *Democracy in America*, Penguin Classics (July 1, 2003)

Farber, Dan, *Retained by the People: The "Silent" Ninth Amendment and the Constitutional Rights Americans Don't Know They Have*, Basic Books; First Edition (May 1, 2007)

Farish, Leah, *The First Amendment: Freedom of Speech, Religion, and the Press*, Enslow Publishers, (1998)

Fraden, Dennis, *The Signers: The Fifty-Six Stories Behind the Declaration of Independence*, Walker (2002)

Freedman, Russel, *In Defense of Liberty: The Story of America's Bill of Rights*, Holiday House (2003)

Friendly, Fred W., Elliott, Martha, *The Constitution, That Delicate Balance*, Random House, NY, (1984)

Fritz, Jean, *Shh! We're Writing the Constitution*, Puffin Books; Reissue edition (December 29, 1997),

Harper, Timothy, *The Complete Idiot's Guide to the U.S. Constitution*, Alpha (October 2, 2007),

Hermalyn, Gary D., Ultan, Lloyd Editors, *The Signers of the Constitution*, Bronx County Historical Society, Bronx, NY, (1987)

Hutchinson, David, *The Foundations of the Constitution*, University Books, Seacaucus, NJ, (1975)

Jay, John, Madison, James, Hamilton, Alexander, edited by Benjamin Fletcher Wright *The Federalist Papers*, Barnes and Noble Books, (1996)

Judson, Karen, *The Constitution of the United States: Its History, Bill of Rights, and Amendments*, Enslow (2013)

Ketcham, Ralph Editor *The Anti-Federalist Papers and the Constitutional Convention Debates*, New American Library, (1986)

Levy, Leonard W., *Origins of the Bill of Rights*, Yale University Press (1999)

Madison, James, *James Madison: Writings: 1772-1836*, Library of America (August 30, 1999),

Maier, Pauline, *American Scripture, Making the Declaration of Independence*, Vintage Books, New York, (1997)

Maier Pauline, *Ratification: The People Debate The Constitution*, Simon and Schuster, New York, (2011)

McWhirter, Darien, *Freedom of Speech, Press, and Assembly*, Oryx, (1994)

Monk, Linda R., *The Words We Live By*, Hyperion, New York, NY, (2003)

Monk, Linda R., *The Words We Live By: Your Annotated Guide to the Constitution*, Hachette Books (August 18, 2010),

Natelson, Robert G., *The Original Constitution: What it Actually Said and Meant*, 2nd Edition, Create Space Independent Publishing Platform (May 17, 2010)

Paine, Thomas, *Common Sense* (Dover Thrift Editions), Dover Publications (April 22, 1997),

Palmer, Kris, Editor *Constitutional Amendments, 1789 to the Present*, Gale Group, Inc., Farmington Hills, MI (2000)

Ritchie, Donald A., *Our Constitution*, Oxford University Press, Oxford, New York, (2006)

Signer, Michael, *Becoming Madison: The Extraordinary Origins of the Least Likely Founding Father*, Public Affairs (2015)

Skousen, W. Cleon, *The 5000 Year Leap*, National Center for Constitutional Studies (January 1, 2007),

St. John, Jeffrey, *Forge of Union, Anvil of Liberty*, Jameson Books Inc.; First edition (June 1992),

St. John, Jeffrey, *Constitutional Journal*, Jameson Books Inc.; 1st edition (June 1, 1987)

Stewart, David O., *The Summer of 1787: The Men Who Invented the Constitution*, Simon and Schuster (2007)

Wood, Gordon S., *Revolutionary Characters: What Made the Founders Different*, Penguin Books; Reprint edition (May 18, 2006)